KB195939

스터디 위드 X

스터디 위드 X

권여름 · 나푸름 · 윤치규
은모든 · 이유리 · 조진주
소설집

차례

스터디 위드 미

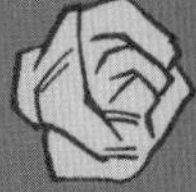

이유리

단편 소설 「빨간 열매」로 2020년 『경향신문』 신춘문예에 당선하며 작품 활동을 시작했다. 소설집 『브로콜리 펀치』, 『모든 것들의 세계』 등을 냈다.

수아가 쓰러진 건 5교시, 국어 시간이었다.

쥐 죽은 듯 조용하던 교실에 별안간 쿠당탕하는 소리가 울려 퍼졌다. 깜짝 놀란 반 아이들이 동시에 돌아본 그 자리에 수아가 쓰러져 있었다. 의자에 앉은 채 옆으로 넘어진 거였다. 수아의 짝인 영지가 "엄마야!" 비명을 지르며 벌떡 일어났다. 영지는 황급히 달려온 국어 선생님과 함께 수아를 부축해 일으켜 세웠다. 다행히 수아는 곧 정신을 차렸지만, 얼굴이 새하얗게 질려 금방이라도 다시 쓰러질 것 같아 보였다.

"저 괜찮아요. 그냥 좀 어지러웠어요."

수아가 작게 중얼거리고는, 정말 괜찮은 사람처럼 일어

서서 교복 치마를 툭툭 털고 의자에 앉았다. 하지만 여전히 안색이 창백한 것이 두 분단 떨어진 내 자리에서도 보일 정도였다. 영지가 수아를 양호실에 데려다주겠다고 나섰다. 수아와 팔짱을 낀 영지가 교실 뒷문으로 나간 뒤 교실은 다시 조용해졌다. 국어 선생님은 참, 별일이 다 있군, 하듯 머리를 조금 흔들다 수업을 재개했고 아이들은 얼굴을 푹 숙인 채 입을 다물었다. 언뜻 보면 교실은 아까와 같은 분위기로 되돌아온 듯했다. 그럴 수밖에, 애들은 얌전히 고개를 처박고 책상 밑에서 부지런히 카톡을 주고받느라 여념이 없었으니까. 내 휴대폰에도 카톡이 계속 왔다.

— 쟤 진짜 공부 개빡세게 하나 봐.

— 애가 갈수록 삐쩍 말라 가던데.

— 쟤가 찐이다 진짜.

경악한 표정을 한 고양이 이모티콘. 나는 답장하지 않고 휴대폰을 책상 서랍에 슬쩍 밀어 넣었다. 이윽고 뒷자리에서 뭔가 뭉툭한 것으로 꾸욱, 등을 찌르는 것이 느껴졌다. 돌아보지 않아도 안다. 방금 카톡을 보낸 장본인인 내 친구 빡솔이 볼펜으로 날 찌르고 있는 거다. 아마 카톡을 확인하라는 뜻이겠지. 나는 모른 척하고 자리에 엎드려 버렸다.

알지도 못하면서.

물론 수아가 공부를 빡세게 한다는 건 사실이다. 전국에서 손꼽히는 명문고이자 서울대를 제일 많이 보내는 여고로 유명한 이곳 휘일여고의 전교 1등을 한 번도 놓친 적이 없는 아이니까. 하지만 수아가 쓰러진 건, 요즘 들어 갈수록 안색이 창백해지고 몸이 말라 가는 건 공부에 지쳐서가 아니다.

수아에게는 귀신이 붙어 있다.

그것도 아주 지독한 귀신이.

사실 나는 수아와 그렇게 친한 사이가 아니다. 같은 반이긴 하지만, 지금까지 나눈 대화를 합치면 아마 열 마디도 안 될 것이 틀림없다. 매달 하는 자리 뽑기에서도 수아의 짝을 뽑은 적이 한 번도 없다. 뭐, 짝이 됐다고 한들 친해졌을 것 같지는 않지만. 워낙 공부에 미친 애들만 모인 학교다 보니 쉬는 시간에도 공부만 하는 애들이 대부분이었고, 덕분에 교실은 하루 종일 독서실 같은 분위기였다. 수아 역시 인강을 틀어 놓은 태블릿 피시나 문제집을 항상 들여다보고 있었으므로 말을 붙이려야 붙일 틈도 없었다. 어휴, 숨 막혀. 다행히도 중학교 때부터 친했던 빡솔이 같은 반이 됐기에 망정이지, 안 그랬으면 나도 친구 사귀기 정말 힘들었을 거다. 마침 빽솔도 공부엔 그다지 취미가 없는, 이 학교에선 보기 드문 애라 나랑 죽이 잘 맞았다. 쉬는 시간마다 복도에 나가서 실컷 떠들고 들어오면 그나마 막힌 속이 좀 뚫리는 기분이었다.

하지만 각종 뒷담화는 물론 서로의 변비 근황까지 별별 얘기를 다 주고받는 사이인 빽솔에게도 말하지 않은 것이 하나 있다. 빽솔도 모르는, 아니 어쩌면 전교에서 나 혼자만 알고 있을지도 모르는 비밀이. 그건 바로 수아가 유튜브에서 브이로그 채널을 운영하고 있다는 사실이다.

'솨솨의 공부 일기'라는 닉네임으로 개설된 수아의 유튜브 채널은 개설한 지 반 년쯤 되었고 현재까지 2만 명 정도의 구독자가 있다. 단 한 가지 콘텐츠, 그것도 매번 같은 각도에서 찍은 영상만 올린다는 점을 감안하면 구독자 수가 꽤 많은 편이라고 볼 수 있다. 수아의 콘텐츠는 '스터디 위드 미(Study With Me)'다. 뭐 거창한 건 아니고, 책상 위쪽 구석에 설치한 카메라로 자신이 공부하는 모습을 리얼 타임으로 보여 주는 것이 전부였다. 스터디 위드 미는 원래 공부한 내용을 기록하고 동기 부여도 할 겸 찍는 게 목적이었지만, 이제는 어엿한 하나의 콘텐츠로 자리 잡아 공부 좀 한다는 애들은 한번 해 보는 재밋거리가 된 지 오래였다.

그런데 그걸 수아도 하고 있다는 건 정말 의외였다.

영상 속에서 마스크로 얼굴을 가린 수아는 조곤조곤한 목소리로 말한다. '오늘은 EBS 영어 인강을 듣고 한국사 오답 노트를 할 거예요.' 매일 바뀌는 예쁜 실내복을 입고 달랑거리는 인형이 달린 귀여운 샤프펜슬을 쥔 수아는 공부를 시작한다. 분명히 나랑 같은 시간에 등교해서 야자를 마치고 같은 시간에 하교하는데, 책상 한켠에 놓인 수아의 스톱워치는 매번 네다섯 시간을 훌쩍 넘긴다. 물론 가끔 화장실에 가기도 하고 틈틈이 간식을 먹기도 하지만 수아는 한 번도 집중을 잃지 않고 바른 자세로 앉아서 내내 공부만 한다. 그러다 영상이 끝날 때쯤에는 쭈욱, 기지개를 켠 뒤 카메라를 보고 엔딩 멘트를 읊는다. '오늘의 공부 끝. 여러분, 잘 자요.'

수아의 채널을 우연히 발견한 건 몇 달 전, 그러니까 수아가 채널을 개설한 지 얼마 안 되었을 무렵이다. 전부터 남들의 시시콜콜한 일상을 들여다보는 걸 좋아해서 자기 전에 유튜브로 각종 브이로그를 보다 잠들곤 했는데, 어느 날 우연히 내 유튜브 추천 영상 목록에 수아의 채널이 뜬 거였다. 영상 섬네일 귀퉁이에 낯익은 필통이 있기에 수아인 줄 바로 알았다. 이동 수업 때마다 수아가 교과서와 함께 갖고 다니는 그 반짝이는 분홍색 필통 말이다. 깜짝 놀라 영상을 눌러 보니 정말 내가 아는 그 수아, 우리 반 장수아가 맞았다. 별로 친한 사이는 아니지만, 유튜브에서 같은 반 애를 발견하다니 뭔가 신선한 느낌이었다고나 할까. 처음엔 반가워서 별생각 없이 댓글을 달려고 했는데 모든 영상의 댓글 창이 막혀 있었다. 찬찬히 살펴보니, 채널 초기에 '고등학생이 공부나 할 것이지, 이런 영상이나 찍고 있느냐.'는 악플이 몇 개 달렸던 탓인 듯했다. 세상에 참 할 짓 없는 사람들이 많다 싶었지만 동시에 조금 이해는 됐다. 우리 학교 애들도 수아에 대해 비슷한 반응을 보이곤 하니까. 공부에 그야말로 목숨을 건 애들만 모인 이 학교 학생에게 치르는 모의고사마다 올 1등급에 전교 회장까지 혼자 다 해 먹는 장수아가 곱게 보일 리 없었다. 겉으로는 친하게 지내고 싶어 하는 척, 되게 위해 주는 척하지만 뒤에서는 얼마나 까고 다니는지 모른다. 미우면 아예 신경 끄면 될 것을, 또 관심들은 얼마나 많은지. 수아가 태블릿을 새로 사도, 책가방을 바꿔도 그 얘기가 곧 카톡을 타고 애들 사이를 떠돌아다닐 정도였다.

그래서 나는 수아의 브이로그에 대해 빡솔한테 말하지 않았다. 만약 빡솔이 알게 되면 분명 우리 반 애들 모두가 아는 건 시간문제일 거고, 곧 전교생이 수아의 채널에 몰려가서 이러쿵저러쿵 입방아를 찧어 댈 게 틀림없다. 솔직히 말하면 수아를 지켜 주고 싶어서였다기보다는, 그걸 제일 먼저 소문내서 수아를 괴롭히는 사람이 내가 되고 싶지는 않다는 마음이 더 컸던 것 같기도 하다. 어차피 언젠가 누군가는 알게 되겠지 뭐, 유튜브 안 보는 애는 없으니까.

처음엔 호기심 반, 신기함 반으로 보게 된 수아의 채널에 푹 빠지게 된 건 한 달도 채 걸리지 않았다. 수아의 영상은 하나하나 정성스럽게 편집된 건 물론, 자기만의 암기 방법을 알려 주거나 좋은 필기구를 추천해 주는 등 알찬 꿀팁도 중간중간 등장해 보는 재미가 있었다. 하지만 무엇보다 매력적인 건 영상 속 수아가 보여 주는 엄청난 집중력이었다. 좀 과장을 보태자면 수아는 옆에서 폭탄이 터져도, 누가 칼을 들고 쫓아와도 아랑곳없이 공부만 할 것 같았다. 분명 나랑 같은 나이인데, 같은 밥을 먹고 같은 교복을 입는 앤데 영상 속 수아는 나와 다른 종족 같았다. 어쩜 저렇게 열심일 수가 있을까. 그런 수아를 보다 보면 뭔가가 가슴속에서 찡— 하고 울리는 것 같았다. 수아는 뭐가 되고 싶을까, 뭐가 그렇게 되고 싶어서 저렇게 애를 쓰는 걸까. 나는 거의 매일 잠들기 전 수아의 영상을 보며 감동하곤 했다. 그러다 다음 날 아침 학교에서 수아를 만나면 괜히 반갑고 마음이 쓰였다. 수아야, 내가 널 응원해. 꼭 팬이 아이돌에게 하듯 마음속으로 수아에게 파이팅을 외치기도 했다.

뭔가 이상하다는 걸 깨달은 건 열흘쯤 전이었다. 보통은 이삼일에 하나씩 꾸준히 영상을 올리던 수아가 일주일이 넘도록 새 영상을 올리지 않던 참이었다. 시험 기간도 아니었고, 학교에서 마주치는 수아는 잘은 몰라도 무슨 일이 있는 것 같지는 않아 보였다. 그렇다고 대뜸 가서 '왜 영상 안 올려?' 하고 물을 수도 없었으므로 혼자 궁금해하던 어느 날 밤이었다. 드디어 수아 채널에 새 영상이 올라왔다는 알림이 뜨길래 들어갔다. 평소 올리는 것과 별다르지 않은, 혼자 차분히 공부하는 수아만 덩그러니 보이는 영상이었다. 평소처럼 잘 준비를 하고 누워 서서히 졸음이 오는 것을 느끼며 영상을 중간까지 봤을 때쯤이었다.

갑자기 수아의 책상 밑에서 새하얀 얼굴을 한 형상 두 개가 스멀스멀 나타났다.

너무 놀라 휴대폰을 얼굴에 떨어뜨릴 뻔했다. 뒷목에 소름이 쫙 끼치며 잠이 싹 달아나는 것이 느껴졌다. 영상을 멈춰 놓은 채 혹시 잘못 봤나 싶어 눈을 비볐다. 그러나 다시 봐도 분명히 보였다. 조그만 여자아이 둘이 수아의 책상을 비집고 나오는 장면이. 저게 사람이었다면 몰랐을 리 없건만, 수아는 전혀 눈치채지 못한 듯 그저 열심히 비문학 문제 풀이에만 집중하고 있었다. 나는 숨도 쉬지 못하고 영상을 다시 재생했다. 책상 밑에서 기어 나온 아이들은 잠시 옆에 서서 수아를 올려다보았다. 한 아이가 카메라 쪽으로 얼굴을 돌렸다. 눈이 새빨갛고 입이 가로로 찢어진 아이의 얼굴을 본 순간 나는 사람이 아님을 직감했다. 그 애들은 한동안 수아를 원망스러운 눈초리로 노려보다, 카메라에 보이지 않는 곳으로 스르륵 사라졌다. 영상이 마저 끝날 때까지 도대체 내가 뭘 본 건지 믿을 수 없어 어안이 벙벙하고 있는데 영상이 끝날 때쯤 스톱워치를 끄는 수아의 모습 아래로 자막이 한 줄 나타났다.

요즘 이상하게 컨디션이 좋지 않아서 한동안 영상을 올리지 못했어요. 오늘부턴 다시 힘내서 꾸준히 올릴게요!

왜 컨디션이 좋지 않았다는 것인지, 나는 알 것 같았다.

그날 이후 수아는 약속한 대로 다시 성실하게 영상을 올리기 시작했지만 나는 예전처럼 편안하고 무심한 마음으로 볼 수가 없었다. 새 영상이 올라왔다는 알림이 뜰 때마다 그 아이 귀신의 새빨간 눈이 떠올라 심장이 덜컥 내려앉는 것 같았다. 이번 영상에도 찍혔을까. 차라리 안 보면 그만일 것을, 무서움보다 호기심이 더 강한 탓에 나는 한 손으로 얼굴을 가리고 눈만 빼꼼 내민 채 수아의 영상을 다 보곤 했다. 귀신은 그 이후로도 두세 개의 영상에서 다시 나타났다. 매번 책상 밑에서 기어 나와서는 수아 옆에 서서, 공부에 몰두한 수아를 원망스럽게 노려보고 있었다. 가끔씩 새하얀 손으로 수아의 목을 감거나 어깨를 밀기도 했다. 그러고 나면 수아는 목이 아픈 듯 주먹으로 그쪽을 툭툭 치며 무심코 끙 소리를 냈다.

댓글 창이 막혀 있으니 남들이 뭐라고 하는지도 알 수가 없는 노릇이고, 누구한테 보여 주며 물어볼 수도 없었다. 영상이 새로 올라올수록 수아는 점점 야위어 갔다. 안색이 눈에 띄게 나빠졌고 입술에는 핏기가 하나도 없었다. 안 그래도 날씬하던 애가 이제는 광대뼈가 불쑥 드러나도록 말라 보기 안쓰러울 지경이었다. 그러다 결국 오늘 수업 도중에 쓰러지고 만 거였다.

"야, 진짜 대박이다. 장수아 쓰러지는 거 봤어?"

수업이 끝나자마자 나를 끌고 복도로 나간 빽솔이 떠들었다. 나는 지끈지끈 아파 오는 머리를 짚으며 고민했다.

그냥 빡솔한테 털어놓을까. 수아에게 귀신이 붙은 것 같다고, 이 영상 좀 보라고. 너도 이 영상에서 어린애가 보이느냐고.

"쟤 요즘 다이어트도 졸라 열심히 한대. 그래서 저러는 걸 듯. 점심은 매점에서 베지밀 사 먹고 끝이고, 석식은 아예 신청도 안 했대."

"야, 박솔지."

나는 신이 나서 떠드는 빡솔의 말을 뚝 끊었다.

"어?"

"에휴, 아니다."

"뭔데? 왜 말을 하다 말아?"

"아니라니까."

빡솔이 짜증스러운 얼굴로 나를 째려보는데 마침 수아가 복도 끝에서 나타났다. 우리 옆을 지나 교실로 들어가는 수아는 여전히 창백했다. '쟤 삼십 분도 안 누워 있다가 온 거야? 수업 들으려고? 미쳤다. 미쳤어.' 빡솔이 입만 벙긋거리며 속삭였다. 그러거나 말거나, 나는 수아의 뒷모습을 열심히 살펴보았다. 혹시나 아이 귀신이 수아의 등에 달라붙어 있는 건 아닌가 싶어서였다.

"왜? 뭐 있어?"

빡솔이 나를 따라 수아를 흘깃거렸다. 눈치라고는 전혀 없는 그 모습에 절로 한숨이 나왔다. 얘한테 말하면 전교에 소문나는 건 시간문제일 것이 틀림없었다. 게다가 혹시, 혹시…… 빡솔한테는 아무것도 보이지 않는다면. 나한테만 귀신이 보이는 거면 어떡하지. 그건 너무 무서웠다. 허투루 입을 놀렸다가 이번엔 나한테 붙을지도 모른다. '넌 내가 보여?' 하면서. 보통 귀신은 이런 식으로 옮아가지 않던가.

"아니야, 됐어. 들어가자."

영 미심쩍은 얼굴을 한 빡솔을 교실로 데리고 들어가면서, 나는 다시 한번 수아 쪽을 바라보았다.

수아에게 붙은 어린애 귀신도 다가오는 시험은 막지 못했다. 기말고사가 가까워지고 있었다. 성적에 큰 관심이 없는 나 같은 부류의 애들도 슬슬 위기감을 느끼고 문제집 앞의 열 장 정도는 들춰 보는 그런 때가 된 것이다. 평소 같으면 엄마의 무시무시한 잔소리를 피하기 위해서라도 벼락치기를 시작해야 할 때였는데, 핑계가 아니라 책상에 앉아도 도저히 집중이 되지 않았다. 물론 수아, 정확히 말하면 수아에게 붙은 귀신 때문이었다.

기말고사 기간이라 더욱 공부에 박차를 가한 수아는 밤을 새워 가며 공부를 하면서도 여전히 이삼일에 하나씩 영상을 올리고 있었다. 이제 귀신들은 거의 모든 영상에 나타났다. 매번 같은 귀신들이었다. 하나는 발목까지 내려오는 흰 원피스에 산발한 머리를 길게 풀어 헤쳤고, 다른 하나는 단발머리에 다 찢어진 색동저고리를 입고 있었다. 이것들은 책상 밑에서 기어 나와 방 한구석에서 내내 수아를 노려보고 서 있었다. 가끔 뭐라고 말하려는 듯 입을 벙긋거리거나, 수아의 등에 대고 찢어진 입을 가로로 쫙 벌리며 소리 없이 웃기도 했다. 악의에 찬 그 얼굴을 보고 있으면 저절로 모골이 송연해졌다. 그러나 이쯤 되니, 공포심 너머 한편으론 슬슬 궁금증도 생겼다.

대체 저것들은 왜 하필 수아한테 붙었을까.

흔히 공포 영화나 괴담을 보면 멀쩡한 사람한테 귀신이 붙는 건 두 가지 이유가 있다. 첫 번째로, 청개구리처럼 하지 말라는 짓을 기어코 하다가 벌을 받는 경우. 들어가지 말라는 흉가에 굳이 들어가고, 열어 보지 말라는 상자를 억지로 열어 보는 사람들은 백이면 백 귀신에게 당한다. 하지만 수아가 그런 짓을 했을 것 같지는 않았다. 비록 친하진 않지만, 내가 본 수아는 말수가 적고 차분한 성격에 지독한 공부 벌레였다. 빡솔의 말에 따르면 초등학교 때부터 선생님 말이라면 죽는시늉이라도 할 애였다나. 수아는 일어날 사고도 미리 알아서 피해 갈 것 같았다. 아무리 생각해도 두 번째 이유가 훨씬 가능성이 높았다. 저주 말이다.

수아한테 원한을 가질 만한 애들이야 쌔고 쌨다. 뭐 그중에 진짜 저주를 걸 만큼 독하게 나쁜 맘을 먹은 애가 있는지는 모르겠지만, 있다고 해도 이상한 일은 아니다. 예를 들면 수아 때문에 매번 전교 1등을 놓치는 내 짝 윤서라든지. 작년 전교 회장 선거에서 수아에게 대참패를 당한 옆반 나현이라면 어떨까. 수아 뒷담화라면 유독 눈에 불을 켜고 달려드는 지아네 패거리 애들은? 나는 그 애들의 얼굴을 하나하나 떠올리며, 걔들이 수아의 이름이 쓰인 저주 인형에 압정을 박는 모습을 상상해 보았다. 마치 눈으로 본 장면처럼 생생하고 자연스럽게 느껴졌다. 그래, 저주가 틀림없다. 그렇다면 대체 누구일까. 누가 수아에게 이런 저주를 퍼붓고 있는 걸까. 나는 수아의 영상에서 귀신이 나오는 부분에 일시 정지를 걸어 두고 한참 생각에 잠겼다. 그러다 픽, 한숨을 내쉬었다. 공부를 이렇게 했으면 진짜 서울대 갔을 텐데.

그런데 그다음 날, 내 심증에 확신을 더해 줄 일이 벌어졌다.

석식 시간이 끝나고 야간 자율 학습이 시작되기 전이었다. 소화를 시킬 겸, 여느 때처럼 운동장을 빙빙 돌다가 평소보다 교실에 조금 이르게 들어온 참이었다. 자리에 앉으려고 보니 내 의자 아래에 필통 하나가 열린 채 엎질러져 있었다. 내 짝 윤서 거였다. 별생각 없이 주섬주섬 흩어진 필기구를 다시 윤서 필통에 넣는데 필통 속에 뭔가 이상한 게 있었다. 주변에 아무도 없는 걸 확인하고 조심스럽게 꺼내 보니 손가락만 한 인형이었다. 단단한 마끈 같은 것으로 감아 만든 사람 모양이었는데 긴 머리에 흰 치마를 입고 있었다. 순간 어젯밤 수아의 영상을 보며 했던 생각이 번개처럼 머리를 스치고 지나갔다.

이거, 설마…….

“뭐 해?”

으악! 나는 깜짝 놀라 소스라쳤다. 언제 왔는지 윤서가 내 뒤에 서 있었다.

“아, 아니, 너 필통 떨어져 있길래 주워 주려고…….”

“아 진짜? 고마워. 애들이 치고 지나갔나 봐.”

윤서는 내 옆에 쪼그려 앉아 같이 펜을 주웠다. 나는 침을 꿀꺽 삼켰다. 자연스럽게 물어볼 기회는 지금밖에 없겠다 싶었다.

"근데 이거, 너 필통 속에 있던 건데 너무 귀엽다. 이게 뭐야?"

손에 쥐고 있던 인형을 내밀자 윤서의 표정이 갑자기 확 굳었다.

"아, 이거, 아…… 걱정 인형이라는 건데……."

"걱정 인형?"

"응. 얘가 걱정을 대신 해 준대. 요즘 기말고사 땜에 힘들어서…… 엄마가 줬어."

윤서가 내 손에서 인형을 가져가며 횡설수설했다.

"얘라도 있으면 그나마 마음이 안정되는 거 같아서. 좀 유치하지만 일단 갖고 다니긴 해. 나 이번 기말 진짜 잘 봐야 되거든. 엄마가 엄청 기대하고 있어서."

묻지도 않은 변명을 늘어놓는 폼이 영 수상했다. 그저 의심이던 것이 점점 확신으로 굳어 가고 있었다. 나는 부지런히 머리를 굴렸다. 너 수아한테 나쁜 짓 하고 있는 거 아니냐고, 걱정 인형이 아니라 저주 인형 아니냐고, 단도직입적으로 묻고 싶었지만 그랬다간 나만 사이코 취급받을 게 뻔했다. 어떻게 자연스럽게 수아 얘길 꺼내지. 순간 머릿속에 반짝, 좋은 생각이 떠올랐다. 나는 윤서의 필통에서 펜을 하나 가리켰다.

"근데 너도 이 펜 쓰네? 수아도 이거 쓰던데. 공부 잘하는 애들은 다 이거 쓰나 봐."

"어어, 이거 잘 나와."

윤서가 내가 가리킨 펜을 보며 대답했다.

"나도 그거 사야겠다. 요새 너랑 수아 공부하는 거 보니까 나도 좀 자극받은 거 같아. 수아도 진짜 열심히 공부하더라."

자연스럽게 말하려고 애쓰며 윤서의 표정을 살폈다. 기분 탓일까, 수아 이름을 듣자마자 윤서의 얼굴이 좀 굳은 것 같기도 했다.

"그치, 수아 진짜 열심히 하지. 근데……."

윤서가 갑자기 말꼬리를 흐리며 주변을 두리번거렸다. 목소리를 낮추고 소곤거렸다.

"나 수아가 되게 모범생인 줄 알았거든. 근데 아닌 거 같아."

"무슨 말이야?"

나도 괜히 주변을 살피며 윤서에게 얼굴을 가까이 댔다. 윤서가 속삭였다.

"나 어제…… 수아가 담배 피우는 거 봤어."

"뭐?"

"확실해. 어제 야자 끝나고 집에 가는데 수아가 앞에 걸어가더라고. 부를까 하다가 말았는데, 마침 걔도 현대 아파트 쪽으로 가는 거야. 걔네 집은 반대쪽인데 뭐지 싶어서 보니까 아파트 주차장으로 들어가더라. 트럭 뒤에 숨어서 전자 담배를 피우더라고."

"헐 대박. 말도 안 돼. 장수아가?"

"나도 믿기지 않는데, 확실히 봤어. 아, 내가 말한 거 비밀이야. 괜히 이상한 소문 안 났으면 해서."

난 비밀을 지키겠다는 뜻으로 굳게 고개를 끄덕였다. 윤서는 희미하게 웃어 보이며 필통을 마저 챙겼다. 입을 꾹 다문 모양이 방금 얘기한 것을 후회하는 것 같기도 했다. 그렇지만 나는 눈여겨보고 있었다. 그 조그만 인형을 필통 구석에 단단히 챙겨 넣는 윤서의 손을.

야자가 시작됐지만 공부에 집중할 수 있을 리가 없었다. 나는 건성으로 문제집을 펼쳐 놓고 끊임없이 방금 들은 얘기를 곱씹었다. 생각하면 생각할수록 모든 게 착착 맞아떨어졌다. 범인이 이렇게 가까운 곳에 있었다니. 윤서가 수아를 저주하고 있는 게 분명했다. 그 증거인 저주 인형을 들키니까 자기도 당황했겠지. 그래서 친하지도 않은 나한테 갑자기 수아가 담배를 피운다는 터무니없는 얘기를 지어낸 게 틀림없다.

하긴 윤서도 어지간히 분했을 것이다. 윤서가 엄청 비싼 과외를 과목별로 받는다고 들은 적 있었다. 그런데도 수아한테 매번 밀리는 게 어이없고 속상했겠지. 무슨 짓을 해서라도 수아의 공부를 방해하고 싶었겠지. 가깝진 않아도 착한 애라고 생각했던 윤서가 뒤에선 그런 짓을 하고 있었군.

나는 턱을 만지작거리며 생각에 잠겼다. 기분이 좀 묘하긴 했지만 사실 그다지 놀랍진 않았다. 이 학교에 다니면서 최상위권 애들이 성적 때문에 별짓을 다 하는 광경을 이미 여러 번 본 탓일까. 마약 성분이 들었다는 잠 깨는 약을 종합 비타민처럼 챙겨 먹는 애도 있었고, 방학 때마다 두 달짜리 기숙 학원에 들어가 연락이 두절되는 애도 있었다. 그 학원에선 매일 아침을 운동 삼아 '공부의 신'께 108배를 올리는 것으로 시작한다나. 그런 애들이랑 소수점 단위 경쟁을 하는 윤서가 설령 수아를 저주한다고 해도 놀라운 일은 아니었다.

나는 뒷줄에 앉은 수아를 흘긋 돌아보았다. 언뜻 봐도 몸이 좋지 않아 보였다. 바짝 마른 등판이 책상 앞으로 쏟아질 듯 굽어 있었다. 불쌍한 수아. 나는 침을 꿀꺽 삼켰다. 알려 주는 것만이라면 괜찮지 않을까. 그게 윤서라는 사실은 비밀로 하고.

마음을 굳게 먹고, 나는 연습장을 한 장 찢었다. 조그만 글씨로 적었다.

오 분 뒤에 화장실로 잠깐 와 줄래?

누가 볼세라, 꼭꼭 접어 조그마해진 종이를 들고 조용히 일어섰다. 화장실에 가는 척 뒷문으로 나가며 수아의 책상에 쪽지를 떨어뜨렸다. 수아가 놀란 눈으로 나를 올려다보았지만 모른 체하고 교실을 빠져나갔다. 심장이 마구 떨리고 있었다.

"무슨 일이야?"

뭐부터 말해야 할까. 의아한 얼굴을 한 수아를 앞에 두니 안 그래도 복잡했던 머릿속이 더 꼬이는 것 같았다. 무슨 말을 어떻게 해야 할지 미리 좀 정리하고 올걸, 싶었지만 이미 엎질러진 물이었다.

"어, 그게 있잖아……. 요즘 너, 좀 이상하지 않았어?"

"뭐가?"

"그러니까…… 막 어지럽고, 몸이 무겁고, 살이 막 빠지고."

갈수록 모르겠다는 얼굴로 수아가 나를 빤히 바라보았다.

"그렇긴 했는데……."

"그게, 이유가 있어 수아야. 그거 알려 주려고 불렀어."

"응?"

"누가…… 누가 너를 저주하고 있어. 그래서 너한테 귀신이 붙은 거 같아."

아무도 없는 여자 화장실 안에 침묵이 흘렀다. 수아는 귀를 의심하는 표정으로 내 눈을 똑바로 보고 있었다. 이런 반응일 줄 예상하긴 했지만 실제로 닥치니 생각보다 더 당황스러웠다. 하긴 나라도 얘가 미쳤나, 싶을 것 같긴 했다.

"그게 있잖아, 사실 나 네 브이로그 보고 있었어. 엄청 예전부터. 근데 최근에…… 니 영상에서 자꾸 이상한 게 보여서. 그러니까 귀신 같은 게 말야. 오늘 우연히 알게 됐는데 우리 반에 누가 널 저주하고 있는 것 같아. 그래서…… 알려 주려고."

횡설수설하고 있다는 걸 자각했지만 멈출 수 없었다. 사실 오랫동안 혼자만 알고 있던 비밀을 말해 버리는 이 순간이 속 시원하기도 했다. 수아가 믿든 안 믿든, 이제 그건 수아의 몫이다. 나는 할 만큼 한 거다. 무거웠던 마음이 조금 가벼워진 것을 느끼며 수아의 표정을 살폈다. 수아는 양손으로 얼굴을 감싸고 고개를 숙였다. 수아의 몸이 덜덜 떨리고 있었다. 충격을 받은 걸까. 아마 많이 놀라고 당황스러울 것이다. 무섭기도 하겠지. 달래 주려고 손을 뻗어 수아의 어깨를 잡은 그때였다. 수아가 고개를 숙인 채 물었다.

"이 얘기, 너 말고 누구 아는 사람 있어?"

"아니. 나밖에 몰라. 빡솔한테도 말 안 했어."

수아가 천천히 고개를 들었다. 수아의 얼굴에 드러난 표정을 보고 나는 경악했다. 수아는 손으로 입을 가린 채 억지로 웃음을 참고 있었다. 웃겨 죽겠다는 수아의 눈을 마주친 순간, 목덜미에 솜털이 바짝 서며 소름이 쫙 돋는 것이 느껴졌다. 뭔가, 뭔가 잘못됐다는 느낌이 강하게 들었다.

"안 믿겨서 그래? 그래, 내가 듣기에도 웃긴 말인 거 알아. 근데 진짜로……."

"소연아."

수아가 내 말을 뚝 잘랐다.

"넌 꿈이 뭐야?"

"뭐? 꿈?"

"응. 막연하게 뭐 되고 싶다, 이런 거 말고. 뭐가 되고 싶고 그래서 뭘 어떻게 해야 하고 지금 당장 내가 할 수 있는 건 뭔지. 이런 거, 있어?"

갑자기 얘가 무슨 소리를 하는 걸까. 나는 멍청하게 입을 벌리고 수아의 입만 바라보았다. 그런 내 얼굴을 흘끗 본 수아가 그럴 줄 알았다는 표정을 지었다.

"소연아, 나는 성공한 사람이 될 거야. 그래서 누구도 무시할 수 없는 그런 사람. 근데 이젠 단순히 공부만 잘하고 좋은 대학에 간다고 해서 무조건 성공하는 시대가 아냐. 학벌은 기본이고, 특출한 기술이나 능력이 있는 것도 아니고. 돈이건 명예건 일단 유명해져야 따라온다구. 근데 내가 이 나이 이 얼굴에 아이돌이 되겠니, 배우가 되겠니? 아무리 생각해도 유튜브밖에 답이 없다 싶었는데, 내가 할 줄 아는 게 공부밖에 없잖아. 근데 스터디 브이로그 쪽도 경쟁이 장난 아니더라. 특목고, 외고 애들에 유학생들에. 구독자가 생각만큼 빨리빨리 안 늘어."

수아의 말이 점점 빨라졌다. 그리 밝지 않은 화장실 전등 밑에서 수아의 눈 흰자위가 번들번들 빛나고 있었다. 비웃는 듯한 미소를 띤 수아가 내 주변을 천천히, 빙빙 돌기 시작했다. 왜일까. 학교에서도 영상 속에서도 수없이 보아 온, 낯익은 수아의 얼굴이 이제는 소름 끼치게 무서웠다. 수아의 영상 속에서 본 귀신들보다 훨씬 더.

"네가 봤다는 그 귀신, 내 동생이야. 우리 집에 늦둥이가 하나 있거든."

뭐라고? 나는 방금 들은 말을 이해하려고 애쓰며 수아를 눈으로 좇았다. 수아의 얼굴에는 이제 재미있다는 표정밖에는 없었다. 포획한 먹잇감을 느긋하게 가지고 노는 육식 동물처럼.

"영상에 합성하는 거 배우느라고 고생했는데 니 반응 보니까 안심이 된다. 자연스럽게 잘됐나 보네."

수아가 가까이 다가와 내 어깨를 감쌌다. 마치 우리가 아주 친한 사이라도 되는 것처럼. 수아에게 닿은 어깻죽지에 소름이 오소소 돋았다.

"니가 생사람 잡으면서 난리 칠까 봐 말해 주는 거야. 비밀로 해 줄 수 있지? 어그로 끌어서 유명해지면 너한테도 꼭 보답할게."

내 어깨를 한 번 꾹 쥐어 누른 수아가 화장실을 나서며 덧붙였다.

"참, 유튜브 봐 줘서 고마워."

수아의 발소리가 멀어졌다. 문득 고개를 들어 보니 커다란 세면대 앞 거울에 어안이 벙벙한 얼굴을 한 내가 덩그러니 혼자 비치고 있었다.

아까부터 이 말을 꼭 해야 한다 싶었는데 그만 타이밍을 놓치고 말았다. 끝내 하지 못한 말을 나는 거울에 대고 중얼거렸다.

수아야, 너 늦둥이 동생이 하나 있다고 했지.

네 영상에 나온 귀신은 둘이었어.

이미 떠난 수아가 대답할 리가 없었다. 아무도 없는 화장실에 똑, 똑 물 떨어지는 소리만 어디선가 괴괴하게 들려오고 있었다.

카톡 감옥

윤치규

단편 소설 「일인칭 컷」과 「제주, 애도」로 각각 2021년 『조선일보』와 『서울신문』 신춘문예에 당선하며 작품 활동을 시작했다. 소설집 『러브 플랜트』 등을 냈다.

겨울 방학이 시작되고 한동안 아무에게도 연락이 오지 않자 정준우는 카카오톡이 고장 난 줄 알았다. 언젠가 화재로 인한 대규모 서비스 중단 사태가 벌어진 적도 있었고 간헐적으로 통신 오류가 발생하기도 하니까 이번에도 그런 경우라고 생각했다. 정준우는 애플리케이션을 업데이트하고 괜히 프로필과 상태 메시지를 변경해 봤다. 어쩌면 핸드폰 자체의 문제일 수도 있겠다 싶어서 전원을 껐다가 다시 켜 보기도 했으나 별다른 문제점을 발견할 수 없었다. 개학을 며칠 앞두고 고등학교 배정 통지 일정을 알리는 단체 메시지를 받고 나서야 문제가 있는 건 핸드폰도 카카오톡도 아닌 그저 자신의 인간관계라는 걸 깨닫게 되었다.

1지망으로 지원한 고등학교는 집에서 꽤 멀었다. 한 번에 가는 교통편이 없어 시외버스를 탔다가 마을버스로 갈아타야 겨우 도착할 수 있는 위치였다. 명문이라거나 자립형 사립고는 아니었으며 오히려 산 중턱에 있다고 할 만큼 오르막이 높아 인기가 없는 학교였다. 부모님은 한마디 상의도 없이 왜 그런 학교를 지원했느냐고 꾸짖었다. 하지만 두 사람 모두 생업에 치여 그 이상의 관심을 보일 수 없었다. 그렇게 거리가 먼 학교를 1지망으로 선택한 이유는 같은 중학교 애들과 마주치고 싶지 않기 때문이었다. 할 수만 있다면 아예 외국으로 유학이라도 가고 싶었지만 집안 형편상 그런 일은 불가능했고 그나마 이게 제일 현실적인 방안이었다.

"너 거기 귀신 나오는 거 아냐?"

졸업식 날 마주친 강병세가 정준우를 보며 비아냥거렸다. 정준우는 눈을 바닥으로 깔고 고개만 끄덕였다. 외부 손님이 많아서 그랬는지 아니면 이제 졸업하니까 내버려 두는 것인지 모르겠지만 다행히 강병세는 금방 흥미를 잃고 다른 곳으로 가 버렸다. 정준우는 가슴을 쓸어내렸다.

중학교 3학년 내내 정준우는 강병세 때문에 언제나 데이터가 부족했다. 강병세는 정준우를 공공 와이파이로 지정하고 학교에 오면 핫 스폿을 비밀번호 없이 켜 두도록 했다. 그뿐만 아니라 유료 게임은 정준우의 핸드폰으로 했고 정준우와의 카카오톡 채팅방을 이상한 걸 저장하는 클라우드처럼 쓰기도 했다. 그러다가 나중에는 아예 정준우의 카카오톡 계정을 트위터에서 모르는 사람한테 팔아 버리기도 했다. 그로 인해 정준우는 몇 개월 동안 카카오톡 이용이 정지되었고 나중에는 번호까지 바꾸어야 했다.

강병세는 정준우에게 전교 회장 선거에 출마하라고 강요하기도 했다. 네가 아니면 우리 학교를 누가 이끄느냐는 식으로 바람을 넣었고, 정말 제대로 도와줄 테니까 진지하게 해 보라고 설득하기도 했다. 나중에는 안 하면 죽여 버리겠다는 식으로 협박해서 정준우는 억지로 후보가 되었다. 정준우가 출마한다는 이야기를 듣고 일부는 미친 거 아니냐는 반응이었고 대부분은 정준우가 누구냐고 되물었다. 정준우는 강병세한테 등 떠밀려 전교생 앞에서 연설도 하고 교문 앞에서 유세도 강행했다. 주요 공약은 학교에 무료 와이파이를 설치하겠다는 것이었다. 물론 이건 터무니없는 이야기였고 나중에는 교감 선생님에게 주의를 받기도 했다. 개교 이래 최초 한 자릿수 득표라는 처참한 결과로 선거가 끝났을 때 정준우는 도저히 얼굴을 들고 다닐 수 없었다. 마주치는 모든 학생이 자신을 볼 때마다 ㅋㅋㅋㅋ 하며 비웃는 것만 같아서 괴로웠다.

이 고등학교에 귀신이 나온다는 것은 유명한 이야기였다. 체육 기자재실에서 목매달아 죽은 학생이 밤이면 학교를 돌아다닌다고 했다. 몇 년 전 누군가 자살한 사건이 있었던 건 사실이었다. 호러 전문 유튜버가 이 사건을 집중적으로 분석해 화제가 되었다. 유튜버는 귀신을 봤다는 학생들을 인터뷰했는데 몸이 안 좋아 양호실에서 자다가 눈을 떠 보니 천장에 귀신이 매달려 있었다거나, 체육 시간에 기자재실에서 몰래 핸드폰 게임을 하는데 옆을 돌아보니 귀신이 있었다는 식의 고백이 쏟아졌다. 하지만 아무리 흉흉한 목격담을 듣는다 해도 정준우는 귀신이 무섭지 않았다. 오히려 두려운 게 있다면 강병세와 그 패거리였다. 그 녀석들을 확실히 피할 수만 있다면 목매달아 죽은 귀신 정도는 얼마든지 감수할 수 있었다.

팬데믹으로 인해 입학 신고 및 교과서 수령이 반별로 각각 다른 시간에 진행되었다. 그건 그날 마주치는 사람이 같은 반 친구일 확률이 높다는 뜻이기도 했다. 새롭게 시작하는 고등학교 생활인 만큼 정준우는 진짜 친구를 만들고 싶었다. 어려운 일이 있을 때 도와줄 수 있는 친구. 누군가한테 찍혔다고 외면하지 않는 친구. 정준우는 수학여행을 갈 때 누구랑 같이 앉아야 할지 고민하는 삶을 더는 살고 싶지 않았다. 그러려면 일단은 스스로 용기를 갖고 변해야 했다. 그런 의미에서 정준우는 집 앞 편의점에 들러 작은 킨더 초콜릿을 몇 개 사 주머니에 넣었다. 혹시라도 말을 걸 기회가 있으면 '초콜릿 먹을래?'라고 물으며 먼저 다가갈 생각이었다. 그런 게 잘 통할지는 모르겠지만 정준우는 나름대로 할 수 있는 최선을 다해 볼 작정이었다.

학교 앞에 도착했을 때 정준우는 예상보다 가파른 오르막에 당황했고 정문을 지나 강당으로 들어갈 때까지 마주치는 사람이 단 한 명도 없어서 놀랐다. 현장 통제를 맡은 선생님은 딱 한 명이었다. 다른 분들은 잠시 자리를 비웠거나 교대로 근무하는 것 같았다. 안내를 맡은 선생님은 입학 신고 서류를 작성한 뒤 제출하고 표지판에 게시된 동선에 따라 교과서를 챙겨 집으로 가라고 알려 주었다. 정준우는 혹시 그가 담임 선생님일까 싶어 주머니에서 초콜릿을 꺼내 인사했다. 하지만 그는 담임 선생님이 아니었고 심지어 초콜릿조차 받아 주지 않았다. 바이러스가 기승인데 허튼짓하지 말고 교과서나 챙겨 얼른 돌아가라고 채근하기만 했다.

입학 신고 서류를 제출하고 창고 같은 곳에 들러 교과서를 받았다. 앞쪽에 먼저 온 학생이 과목별로 한 권씩 교과서를 챙기고 있었다. 작고 왜소한 체형의 머리가 짧은 남학생이었다. 두 손 가득 교과서를 든 모습이 어딘가 힘겨워 보였다. 남학생은 무거운 교과서를 끌어안고 출구를 확인하려고 주변을 두리번거리다가 정준우와 눈이 마주쳤다. 정준우는 자신도 모르게 재빠르게 시선을 피했다. 그러고는 곧바로 후회했다. 지금은 고개를 돌리는 게 아니라 자연스럽게 인사를 건넬 타이밍이었다. 긴장된 마음을 추스르고 다시 남학생 쪽을 쳐다보는데 그쪽에서 먼저 말을 걸었다.

"너도 3반이야?"

정준우는 그렇다고 대답하며 최대한 자연스러운 미소를 지었고 주머니에서 주섬주섬 킨더 초콜릿을 꺼내 건넸다.

"초콜릿 먹을래?"

초콜릿은 오랫동안 주머니 속에 박혀 있어서 포장지가 볼품없이 구겨져 있었다. 남학생은 두 손으로 교과서를 들고 있느라 정준우가 건넨 초콜릿을 눈으로만 쳐다봤다. 정준우가 뒤늦게 남학생의 손이 자유롭지 않다는 것을 깨닫고 초콜릿을 다시 집어넣으려고 했다. 그러자 남학생은 교과서 맨 위에 올려 달라고 말했다. 나중에 집에 가면서 먹겠다고. 정준우는 얼굴이 조금 빨개진 채로 초콜릿을 교과서 가장 맨 꼭대기에 올려놓았다. 그는 고맙다며 자신을 도상현이라고 소개했다. 얼떨결에 통성명을 마친 두 사람은 어정쩡하게 마주 보며 서 있었다.

"무거우면 혹시 좀 들어 줄까?"

정준우의 갑작스러운 제안에 도상현은 피식 웃었고 엄마가 주차장에서 기다리고 있어서 괜찮다고 거절했다. 정준우는 어색하게 따라서 웃다가 용기를 내 앞으로 친하게 지내자고 말했다. 도상현은 흔쾌히 받아들이며 개학하고 보자고 인사한 뒤 밖으로 빠져나갔다.

전염병의 기세가 수그러들지 않고 매일 확진자가 전날의 두 배 세 배씩 늘어나자 입학식마저 비대면으로 이루어졌다. 정준우는 담임 선생님과 친구들의 얼굴을 노트북 화면을 통해 처음 보게 되었다. 3월 둘째 주까지는 비대면 수업이 쭉 이루어질 예정이었다. 담임 선생님은 원활한 공지를 위해 학급 단체 카카오톡 방을 만들었다. 채팅방에 초대되자마자 정준우는 대화 상대 목록에서 가장 먼저 도상현을 찾았다. 하지만 도상현이라는 이름을 쓰는 사람은 아무도 없었다. 비슷한 얼굴을 프로필로 해 놓은 사람도 없었다. 출석부와 카카오톡 대화 상대를 비교하면서 소거법으로 찾다가 D라는 아이디 하나가 눈에 띄었다. 파란색 기본 화면에 아무 사진도 걸려 있지 않은 계정이었다. 한참을 망설이다가 정준우가 먼저 '우리 그때 창고에서 봤었지?'라고 물었다. 그러자 기다렸다는 듯이 곧바로 답장이 왔다.

그날 이후 정준우는 시도 때도 없이 도상현과 카카오톡을 주고받았다. 줌으로 비대면 수업을 하는 동안에도 카메라에 비치지 않는 책상 밑으로 손을 넣어 메시지를 보냈다. 우리 담임 선생님 아직 결혼 안 하신 거 같지 않냐? 도상현이 물었다. 그렇네. 노총각이실 거 같아. 정준우가 대답했다. 과목이 국어래. 무슨 소설도 쓰는 작가라는데? 그렇네. 소설 잘 쓰게 생겼네. ㅋㅋㅋㅋ 이어지는 웃음소리. 정준우는 도상현과 대화를 나눌 때마다 어쩐지 마음이 들뜨고 설레었다. 어떤 이야기든 편하게 주고받을 수 있고, 또 헤프게 웃으면서 넘길 수 있는 사람. 그동안 잊고 있었는데 새삼 이런 게 친구와의 대화였다는 걸 깨닫게 되었다.

대화는 밤늦게까지 이어졌다. 답장이 바로바로 오가지

는 않아도 대충 이야깃거리를 던져 놓았다가 서로 시간이 맞으면 한창 말했고 다시 조용해지는 방식이었다. 정준우는 도상현에게 메시지가 올 때마다 뭐라고 대답하면 더 재미있을까 머리를 쥐어짜며 고민했다. 도상현은 인터넷에서 유행하는 밈을 많이 갖고 있었고 이모티콘도 다양하게 썼다. 덕분에 어떤 주제로도 대화가 잘 이어졌다. 어떤 유튜브 채널을 좋아하는지, 요즘 아이돌 중 최애는 누구인지, 혹시 로블록스를 하는지. 이런 소소한 질문에도 대화가 꼬리에 꼬리를 물어 끊어지지 않았다. 정준우는 실제로 딱 한 번밖에 못 본 친구와 이렇게까지 말이 잘 통한다는 게 놀라우면서 감격스러웠다.

며칠 동안 도상현과 대화를 주고받다가 자연스럽게 학교에서 목매달고 죽었다는 아이에 관해서도 이야기했다. 정준우는 자신이 본 호러 유튜버의 동영상 링크를 보내 주었다. 도상현은 그런 소문을 들어 본 적이 없었는지 상당히 놀란 눈치였다. 이런 일이 학교에서 있었다고? 실화라고? 도상현은 몇 번이나 되물었다. 동영상을 다 본 도상현은 정준우에게 물었다. 그런데 귀신 나온다는 곳 우리가 교과서 받았던 그 창고 아냐? 정준우가 설마 그렇겠냐고 대답하면서 동영상을 꼼꼼히 살펴봤다. 정말로 체육 기자재실이 자신이 들렀던 창고가 맞는 것 같았다. 도상현은 두려움에 덜덜 떠는 이모티콘을 보냈고 정준우는 눈물을 주룩주룩 흘리는 이모티콘을 보냈다.

그 후로도 며칠 동안 도상현은 무서운 이야기나 공포 동영상 같은 걸 계속 공유했다. 정준우가 그런 콘텐츠를 좋아하는 것으로 오해한 것 같았는데 일본의 괴담 예능이나 공포 영화 중에 무서운 장면을 모아 놓은 클립을 자주 보냈다. 정준우는 뭔가가 도착할 때마다 그것들을 꼬박꼬박 보고 피드백을 주었다. 너무 무섭다. 나 지금 오줌 쌀 것 같아. ㅋㅋㅋㅋ 이어지는 웃음소리. 사실 정준우는 겁이 많아서 지금 보내 주는 동영상만으로도 밤에 화장실을 못 갈 정도였다. 그래도 잠깐 이러다가 말겠지 싶어서 대수롭지 않게 여겼는데 도상현이 보내는 동영상의 수위가 갈수록 높아졌다. 흰 천을 두른 귀신이 나타나 사람의 목을 조른다거나 심장을 물어뜯는 동영상도 있었다. 정준우는 이게 영화나 페이크 다큐멘터리의 한 장면인지 아니면 실제 상황인지 구별하기가 어려웠다.

정준우가 사실 자신은 겁이 엄청 많다고 고백하면서 인제 이런 걸 그만 보냈으면 좋겠다고 말하자 도상현은 곧바로 사과했다. 나는 네가 이런 거 좋아하는 줄 알았어. 도상현이 말했다. 아니야, 나 존나 쫄보야. 처음 봤을 때 나 찐따인 거 바로 알아봤잖아. ㅋㅋㅋㅋ 이어지는 웃음소리. 도상현은 그렇게 겁이 많은데 어떻게 학교에 귀신이 나오는 줄 알면서도 여기로 왔느냐고 물었다. 정준우는 잠시 고민하다가 최대한 덤덤하게, 그리고 솔직하게 중학교 때 겪었던 일을 털어놓았다. 강병세에게 찍혀서 괴롭힘을 당했던 것과 모든 학생 앞에서 수치를 당했던 전교 회장 선거 사건까지. 물론 자세한 내막을 다 설명한 것은 아니었고 어디까지나 웃으면서 들을 수 있는 수준으로 각색했는데 이야기를 끝마쳤을 때 도상현은 힘들었겠다며 진지하게 정준우를 위로했다.

—혹시 내가 복수해 줄까?

—엥? 뭔 말이야?

—내가 한번 들어오면 절대 나갈 수 없는 채팅방을 만들 수 있거든.

도상현의 계획은 이랬다. 중학교 3학년 때 반 친구 전원의 연락처를 알려 주면 자신이 단체 카카오톡 채팅방을 만든 후에 아무도 나가지 못하게 가둬 놓고 무서운 동영상과 혐오스러운 사진을 계속해서 보내겠다고. 원래는 초대 거부 기능이 있어서 한번 초대한 뒤에 상대방이 원치 않으면 다시 초대할 수 없지만, 자신은 그걸 무시하고 계속 상대방을 부를 수 있는 버그를 알고 있다고 했다. 정준우가 주저하자 도상현은 복수까지는 아니고 귀여운 앙갚음 정도라고 생각하면 된다면서 이게 은근히 신경 쓰이고 짜증 날 거라고 장담했다. 적어도 배터리가 빨리 닳아서 확실히 스트레스는 클 거라고. 정준우는 여전히 그런 짓을 하는 게 위험할 것 같아 내키지 않았지만 도상현이 하도 보채는 바람에 일단은 수락했다. 카톡 감옥은 그렇게 시작되었다.

—D 님이 정준우 님을 초대했습니다.

중학교 3학년 때 같은 반이었던 아이들의 연락처를 전부 알려 준 다음 날 정준우는 도상현이 만든 단체 카카오톡 채팅방에 초대되었다. 어떤 아이는 이거 뭐냐고 웃으면서 물었고, 어떤 아이는 들어오자마자 아무 말도 없이 바로 방을 나가 버렸다. 하지만 방을 나간 친구는 곧바로 다시 초대되었다. 정준우는 아무 채팅도 입력하지 않고 조용히 아이들의 대화를 지켜봤다. 처음에는 그냥 물음표 몇 개만 오갔다. 그러다가 한 명씩 이런저런 말을 쏟아 냈다. 이거 누가 만들었음? 반창회라도 하는 거야? 성주혁이 최민구한테 고백하려고 만들었대. ㅅㅂ 그런 거 하지 마라. ㅋㅋㅋㅋ

이어지는 웃음소리. 이렇게 초대되면 몸캠 같은 거 뜨던데. 토 나온다. 난 나간다. 최민구 님이 나갔습니다. D 님이 최민구 님을 초대했습니다. 초대하지 마라. 차단 박는다. 무야호. D가 선생님이야? 그래? 선생님 아님. 나 선생님 친구 추가되어 있는데 저거 아님. 왜 지랄임? 롤 할 사람? 응 브론즈랑 안 해. 응 나 실버.

—카톡 감옥에 온 것을 환영한다.

컨셉 보소. 이건 또 뭐야. 성주혁 님이 나갔습니다. D 님이 성주혁 님을 초대했습니다. 주말에 풋살 할 사람? 덜덜덜. 소오름. 무야호. 초대하지 말랬다. 성주혁 님이 나갔습니다. D 님이 성주혁 님을 초대했습니다. 응 너 차단. 강병세 님이 나갔습니다. D 님이 강병세 님을 초대했습니다. 씨발 차단했는데 왜 초대됨? 그거 그냥 나가면 안 되고 설정 들어가서 초대 거부 및 나가기 눌러야 함. (사진). 최민구 님이 나갔습니다. D 님이 최민구 님을 초대했습니다. 안 되는데? 뭐임? ㅋㅋㅋㅋ 이어지는 웃음소리. 개망했네? (사진). 끔찍한 거 보내지 마라. 이건 진짜 아니다. 뭐 하냐. 개징그럽네. 무야호. 밥맛 존나 떨어지네. 컨셉질 그만해라. (사진). 선 넘네. 너 죽는다. 뭐 하는 새끼냐? 강병세 님이 나갔습니다. D 님이 강병세 님을 초대했습니다. 성주혁

님이 나갔습니다. D 님이 성주혁 님을 초대했습니다. 최민구 님이 나갔습니다. D 님이 최민구 님을 초대했습니다.

— 너희는 잘못을 뉘우칠 때까지 이곳에서 영원히 나갈 수 없다.

도상현이 만든 방은 차단하거나 초대 거부를 해도 아무 소용이 없었다. 아이들은 계속 방을 나가려고 했고 인터넷에서 본 이런저런 방법을 공유하며 탈출을 시도했지만, 어김없이 초대되어 결국에는 다시 끌려오게 되었다. 처음에는 욕설과 험악한 말이 난무했다. 경찰에 신고하기 전에 그만두라는 경고와 죽여 버리겠다는 협박이 쉬지 않고 이어졌다. 하지만 도상현은 아랑곳하지 않았다. 별다른 대꾸도 반응도 하지 않은 채 사진과 동영상을 번갈아 올렸다. ㅋㅋㅋㅋ 이어지는 웃음소리. 사진과 동영상은 아주 잔인하고 끔찍했다. 눈을 까뒤집은 처녀 귀신, 모든 치아가 송곳니처럼 자라난 어릿광대, 사람의 머리를 썰고 있는 텍사스 전기톱 살인마 같은 것들이었다. 정준우는 들어갈 때마다 그런 것들과 마주치니까 나중에는 채팅방을 열어 보는 것조차 싫어졌다.

채팅방에 초대된 스물세 명의 동창 중 절반 이상은 이제 아무 말도 하지 않았고 더는 채팅방을 나가려고 하지도 않았다. 그냥 무시하는 게 제일 좋은 대안이라고 생각했는지 알림을 꺼 둔 채 채팅을 읽지도 않았다. 그래도 메시지를 안 읽은 사람을 뜻하는 숫자 표시는 조금씩 줄어들었다. 모두 보지 않는 척해도 한 번씩은 들어와서 쌓여 있는 메시지를 확인하고 있었다. 채팅은 하루에만 몇천 개씩 쌓였다. 300개 이상의 메시지는 그냥 '300+'라고 뜨는데 한참 동안 보지 않고 있다가 오랜만에 채팅방에 들어가면 휴대폰 자체가 버벅거리면서 잠시 멈출 지경이었다. 도상현은 온종일 쉬지 않고 채팅방에서 떠들었다. 그냥 가만히 숫자를 세다가 한 번씩 끔찍한 사진과 동영상을 올렸다. ㅋㅋㅋㅋ 이어지는 웃음소리. 도상현은 반 친구의 이름 앞에 @를 붙여 강제로 소환하기도 했다. 그럴 때면 끔찍한 사진 위에 그 친구 사진이 합성되어 있었다. 정준우는 눈알이 뽑힌 달걀귀신 사진에 반 친구의 얼굴이 겹쳐져 있는 것을 보고 매우 놀랐다.

—어떻게 한 거야?

—매크로가 있어. 지금 계속 떠드는 것도 다 매크로야.

—그거 말고 사진 말이야.

—프로필에 사진 있잖아. 그걸로 합성한 거야.

도상현은 별일 아니라는 듯 아무렇지도 않게 대답했다. 정준우는 손발이 얼어붙는 기분이었다. 지금까지와는 다르게 도상현이 조금 섬뜩하게 느껴졌다. 이런 건 확실히 범법이 아닌가 싶었다. 초상권도 걸리고 나중에 들키게 되면 큰 문제가 될 게 분명했다. 하지만 도상현은 자꾸만 절대로 걸릴 일이 없다고 정준우를 안심시켰다. 도상현은 아직 이 정도로는 부족하다고 했다. 정준우에게 그동안 당했던 걸 떠올려 보라고 하면서 진짜 여기에서 멈춰도 되겠느냐고 물었다. 솔직히 말하면 정준우의 마음속 가장 밑바닥에는 강병세가 이렇게나 속수무책 당하고 있다는 사실이 조금은 통쾌했다. 교실에서는 그렇게나 잘나가고 힘이 있는 척 군림했어도 카톡 감옥 속에는 그 녀석도 한낱 죄수에 불과했다.

—(알 수 없음) 님이 나갔습니다.

며칠이 지나자 채팅방 전체 인원이 조금 줄어들었다. 하지만 그들도 약간의 시간 차이가 있었을 뿐 계정을 다시 만들면 곧바로 채팅방으로 초대되었다. 여기까지는 정준우도 그렇게 놀라지 않았다. 전화번호를 알고 있는 이상 카카오톡을 탈퇴했다가 새로 가입한다 해도 도상현이 초대할 수 있으니까. 하지만 믿을 수 없는 것은 전화번호를 아예 바뀐 아이도 다시 초대된 것이었다. 그쯤 되니까 조용했던 채팅방이 다시 시끄러워졌다. 아이들은 바뀐 전화번호를 어떻게 알았느냐고 물었다. 여전히 도상현은 묻는 말에 대꾸하지 않고 숫자를 세거나 잔인한 사진을 간헐적으로 올렸다. 이제 아이들은 더 이상 ㅋㅋㅋㅋ 하고 웃지 않았다. 그리고 그것은 정준우도 마찬가지였다.

—지금부터 딱 한 명에게 출소할 기회를 주겠다.

대답하는 사람은 없었지만 메시지 안 읽음 표시가 여느 때보다 훨씬 빠르게 사라졌다. 도상현은 지금부터 세 시간 안에 반성문을 쓰라고 지시했다. 반성문을 제일 진정성 있게 잘 쓴 사람을 조건 없이 해방하겠다는 것이었다. 몇몇 애들이 뭐에 관해서 반성문을 써야 하느냐고 물었다. 도상현은 대답하지 않았고 그 대신 최민구가 거친 욕설을 내뱉었다. 병신 새끼야. 이런 말 들어주지 마. 내가 경찰에 신고했고 카카오 본사에도 다 캡처해서 보냈으니까 그냥 조금만 기다려. 하지만 최민구의 윽박에도 불구하고 세 시간 만에 반성문을 올린 아이가 있었다. 내용은 크게 없었지만 어쨌든 그동안 살면서 저질렀던 작은 죄를 고백했고 앞으로는 더 좋은 인간이 되겠다는 다짐이 적혀 있었다. 그리고 그 아이는 정말로 해방됐고 두 번 다시 채팅방에 초대되지 않았다.

그 이후부터 아이들은 도상현에게 매달리기 시작했다. 자신도 반성문을 쓰겠다고. 제발 이 방에서 나가게 해 달라고. 하지만 도상현은 다시 입을 다물었다. 아이들은 우는 소리를 하면서 매달렸고 누군가는 시키지도 않았는데 공책에 잘못했다고 빼곡히 써서 사진 찍어 올리기도 했다. 도상현이 다시 숫자를 세고 끔찍한 동영상을 올리자 채팅방은 다시 고요해졌다. 도상현은 우발적으로 한 번씩 출소 이벤트를 진행했다. 눈치 게임으로 제일 먼저 1을 외친 녀석을 놓아주기도 했고, 자신의 뺨을 가장 세게 때리는 사람에게 해방의 기회를 주기도 했다. 그런 식으로 가끔 해방되는 녀석이 생기자 메시지를 읽는 숫자가 현저히 늘어났다. 이제는 끔찍한 엽기 사진이 올라와도 많은 아이가 곧바로 확인했다. 그 모습을 지켜보면서 정준우는 희열과 공포를 동시에 느꼈다.

어느덧 남아 있는 아이가 열세 명밖에 되지 않자 한동안 출소 이벤트가 열리지 않았다. 그동안 강병세는 이상할 정도로 조용했고 성주혁만 날뛰었다. 성주혁은 자신에게 좋은 아이디어가 있다면서 남아 있는 열세 명에게 개별적으로 메시지를 보냈다. 이대로 있지 말고 우리도 당한 만큼 갚아 주자면서 지금부터 저 새끼한테 계속 보이스톡을 걸어 아예 핸드폰을 못 쓰게 마비시켜 버리자고 제안했다. 각자 두 시간씩 계속 도상현에게 보이스톡을 걸고 인증 사진을 보내라는 것이었다. 그렇게 해야만 우리가 벗어날 수 있다고. 성주혁은 아이들한테 시간표를 짜 주었다. 정준우는 시간표를 보고 헛웃음이 나왔다. 자신에게 배정된 시간이 새벽 2시부터 4시였기 때문이다.

정준우는 이쯤에서 도상현을 말려야겠다고 생각했다. 이만하면 정말 충분했다. 일주일 넘게 고통을 줬으니 어느 정도 분풀이는 되었고 여기에서 더하면 정말 큰일이 날 것 같았다. 도상현에게 이제 그만하자는 메시지를 보내려는 순간 고등학교 담임 선생님에게 전화가 걸려 왔다. 정준우는 혹시라도 도상현 때문에 전화가 온 게 아닐까 싶어 긴장했다. 하지만 담임 선생님은 비상 연락망을 점검하는 중이라 했고 정준우에게 이름, 연락처, 주소를 확인했다. 통화가 끝나고 얼마 지나지 않아서 담임 선생님의 공지 사항 메시지와 함께 새로운 학급 단체 카카오톡 방이 개설되었다. 기존에 만들었던 채팅방에 우리 반 학생이 아닌 사람이 한 명 더 들어가 있으니 그 방에서 나오고 새로운 방을 이용하라는 것이었다. 그리고 새로운 채팅방에는 D가 없었다.

진짜 도상현이 쓰고 있는 아이디는 D가 아니라 현이었다. 담임 선생님에게 도상현의 전화번호를 물어 통화를 해 봤는데 예비 소집일 날 초콜릿을 받은 아이가 맞았고 지금까지 자신과 카카오톡으로 대화를 나눈 사람은 아니었다. 정준우는 이게 어떻게 된 일인가 싶어 정신이 어지러웠다. 지금까지도 쉬지 않고 메시지를 보내고 있는 D의 정체가 무엇인지 알 수가 없었다. 도대체 뭐지? 지금까지 왜 도상현인 척을 했던 거지? 정준우는 머릿속이 혼란스러웠다. D에게 메시지를 보내면 D는 여전히 도상현인 척 답장했다. 정준우는 혹시라도 자신이 이 모든 것을 알아차렸다는 사실을 D가 알게 되면 자칫 카톡 감옥의 원흉이 정준우였다는 것을 폭로할까 봐 두려웠다. 그뿐만 아니라 어쩌면 자신도 카톡 감옥으로부터 영원히 벗어나지 못하게 될 것 같았다.

성주혁이 제안한 보이스톡 공격은 별다른 효과가 없었다. 대략 이틀 동안 진행했는데도 메시지가 오는 건 멈추지 않았고 상황은 그대로였다. 정준우는 새벽에 일어나 보이스톡을 거는 척 인증 사진만 찍었다. 다른 아이들도 똑같이 그랬는지는 모르겠지만 어쨌든 보이스톡 공격은 완전히 실패로 돌아갔다. 모든 것을 체념한 성주혁은 앞으로 카카오톡을 쓰지 않겠다고 선언하고 계정을 탈퇴해 버렸다. (알 수 없음) 님이 나갔습니다. 그 이후로 성주혁은 카카오톡 친구 목록에서 완전히 사라졌다. 그 이후로 최민구가 계정을 삭제했고 많은 아이가 뒤를 따랐다. 그중에는 번호를 바꾸고 카카오톡을 설치했다가 다시 끌려오는 녀석도 있었는데 나중에는 그런 애들도 완전히 카카오톡을 지워 버리게 되었다. 하지만 이상하게도 강병세만큼은 끝까지 채팅방에 남아 있었다.

—이제 그만하면 어떨까?

정준우가 D에게 메시지를 보냈다.

—그러고 싶어?

—응. 이제 충분해.

—그러면 그만하지 뭐.

D는 의외로 순순히 정준우의 말을 따랐다. 그리고 카톡 감옥에서 먼저 나가 버렸다. (알 수 없음) 님이 나갔습니다. 정준우는 그 메시지를 아주 오랫동안 들여다봤다. D는 채팅방을 나간 게 아니고 카카오톡 계정 자체를 삭제했다. 정준우는 친구 목록에서 D가 사라진 것을 확인했다. 단둘이

나눴던 대화에서도 D는 이미 사용하지 않는 이용자가 되어 있었다. 정준우는 이게 어떻게 된 일인가 싶으면서도 한편으로는 안심했다. 그리고 더는 이 일에 대해서 깊이 파거나 궁금해하지 않기로 마음먹었다. 이게 어떻게 된 일인지 파헤치는 것보다는 그냥 이대로 묻어 두는 편이 더 안전할 것 같았다. 채팅방 안에는 정준우와 강병세 단둘이 남게 되었다. 강병세는 이제 더는 채팅방을 열어 보지 않는지 메시지 옆의 숫자 1이 여전히 남아 있었다.

정준우는 카톡 감옥을 나가기 전에 마지막으로 지난 대화를 천천히 살펴봤다. 채팅방을 거꾸로 거슬러 올라가며 D가 보낸 메시지와 사진, 동영상 그리고 아이들이 내뱉은 욕설과 분노, 해방해 달라는 간절한 호소와 울먹임 같은 것을 하나씩 되짚어 봤다. 그렇게 스크롤을 조금씩 올리다가 실수로 D가 보낸 동영상 하나를 클릭하게 되었다. 대부분 끔찍한 것들이라 정준우는 그동안 일부러 동영상을 눌러 보지 않았다. 갑자기 실행된 동영상 속 배경은 어쩐지 눈에 익은 장소였다. 화면이 어두워서 정확하지는 않지만 창고 같은 곳이었다. 조금 자세히 살펴보니 오래된 매트리스와 고깔, 장애물 같은 것이 보였다. 그런 너저분한 것들이 쌓여 있는 한가운데 어떤 남자가 천장에 대롱대롱 매달려 있었다. 카메라는 이리저리 흔들리면서 천천히 매달린 시체로 다가갔다. 발끝에서부터 천천히 시선이 올라갔는데 가슴을 지나 마침내 얼굴이 드러났을 때 정준우는 핸드폰을 손에서 놓치고 말았다. 동영상 속 천장에 매달린 시체는 강병세였다. 그 순간 강병세와 단둘이 남은 채팅방 속 메시지 옆에 붙어 있던 마지막 숫자 1이 사라졌다. 그리고 ㅋㅋㅋㅋ 이어지는 웃음소리.

벗어나고 싶어서

은모든

장편 소설 『애주가의 결심』으로 2018년 『한국경제』 신춘문예에 당선하며 작품 활동을 시작했다. 장편 소설 『모두 너와 이야기하고 싶어 해』, 소설집 『오프닝 건너뛰기』, 『선물이 있어』 등을 냈다.

"선생님, 첫사랑 얘기해 주세요!"

"야, 또 너냐? 너 그게 진짜 궁금해서 묻는 거야?"

칠판을 보고 선 미진은 고개를 돌리지 않고도 목소리의 주인공을 알아챌 수 있었다. 보드 마커를 집어 들기 무섭게 "첫사랑이요! 첫사랑! 첫사랑!" 하는 우렁찬 외침이 교실 안을 쩌렁쩌렁 울렸다. 다음 순간 미진은 '무궁화꽃이 피었습니다' 게임의 술래처럼 재빨리 뒤를 돌아보았다. 일순 조용해진 교실 안은 여느 때와 다름없이 하품의 입자가 둥실둥실 떠다니는 듯한 모습이었다.

미진과 눈을 맞추는 것은 맨 앞줄 가운데 자리를 사수하는 반장뿐. 반장의 짝만 해도 요란한 소리를 내며 하품하다

말고 황급히 입을 가리기에 바빴다. 한 아이는 잠을 깨 보려고 자기 손으로 양쪽 볼을 두드리더니 못 참겠다는 듯 교과서를 들고 일어나 사물함 앞에 가서 섰다. 잠시 모두의 시선이 그쪽으로 쏠렸는데, 맨 뒷줄 창가에 바짝 붙어 앉은 윤재는 예외였다. 윤재는 턱을 괸 채 미동 없이 창밖만 바라보고 있었다. 미진이 "윤재야." 하고 부르자 깜짝 놀란 사람처럼 어깨를 움찔거리기까지 했다.

"너 갈수록 연기가 는다? 오늘은 꼭 진도 나가야 되니까 1절만 해, 윤재야. 1절만."

윤재는 콕 집어 자신을 지적하는 영문을 모르겠다는 듯 어깨를 으쓱이며 양팔을 드는 제스처를 취했지만, 미진이 칠판 쪽으로 몸을 틀기 무섭게 "첫사랑!" 연호는 다시 이어졌다. 발 구름이 더해지는가 싶더니 급기야 삐걱거리는 쇳소리까지 동원되자 미진도 손바닥으로 칠판을 두드리며 그만하라고 목청을 높여야 했다.

"그만할 테니까 첫사랑 얘기해 주세요, 선생님!" 윤재가 그제야 본색을 드러내며 활짝 웃었다.

"첫사랑이라……. 너희 파인애플이 어떻게 나는 줄 아니? 파인애플은 열매처럼 열리는 게 아니라 밭작물처럼 솟아나는 거 알고 있었어?"

아이들의 얼굴 위로 크고 작은 물음표가 떠올랐고, 미진은 파란색 보드 마커를 집어 들었다. 그림에 자신이 있었던 적은 한 번도 없었다. 수업 때도, 교생 실습 때도, 그림만 그리면 교실 안에는 키득거림이 퍼져 나갔다. 나른한 교실 안에 웃음을 흩뿌릴 수 있는 지금은 아무렇지 않지만, 어릴 때는 엉망인 그림 실력이 콤플렉스였다고 말하면서 미진은 기억 속의 파인애플 화분을 그리기 시작했다.

*

얼핏 보면 난초처럼 길쭉하게 겹쳐 난 잎 한가운데에 슬며시 솟아 있는 고작 자두만 한 열매. 한 손에 쏙 들어올 만큼 앙증맞지만 거북이 등껍질 같은 노란 몸체와 뾰족한 꼭지를 갖추고 있었던 그것은 누가 봐도 엄연한 파인애플이었다. 하지만 그 크기라니. 치와와만 한 코끼리를 본다면 이런 느낌이 아닐까 싶어서 미진은 마냥 신기했다. 저만치 앞서가던 예은과 우리가 돌아보기에 미진은 "여기에 신기한 게 있어!" 하고 손을 흔들었다. 못내 귀찮다는 듯 머뭇대는 예은과 달리 우리는 한달음에 뛰어오더니 예상보다 훨씬 더 격한 반응을 보였다.

"이게 파인애플이라고?"

턱이 아래로 툭 하고 떨어지듯 입이 벌어지는 우리의 표정이 애니메이션의 한 장면 같아서 미진은 눈물이 날 만큼 웃었다. 우리의 외침에 학급 아이들 열댓 명이 몰려와 파인애플 화분을 둘러쌌고, 그러는 동안 미진은 중학교 마지막 해의 2학기에 전학 온 자신이 겉돌지 않고 편안하게 소풍을 즐길 수 있는 것이 전부 우리의 덕이라고 생각했다.

"이거 미진이가 발견한 거야." 우리는 미진의 팔짱을 끼며 추켜세웠다. "이제 미진이 따라다녀야지!"

풀 내음이 가득한 온실 안의 공기는 분명 산뜻했지만 어쩐지 텁텁한 느낌도 있어서 미진은 5교시를 맞이한 교실 속에 있는 것처럼 몽롱한 기분이었다. 그곳을 누비는 동안 우리는 내내 미진의 팔짱을 끼고 있었다.

"미진아, 이 잎사귀 좀 봐. 이거 우산보다 훨씬 커." 우리는 그러면서 거대한 잎사귀 가까이 가더니 돌연 목소리 톤을 연극 조로 바꾸어 말했다. "마을 입구까지 가시는 거면 제 우산을 같이 쓰고 가시겠어요? 저기요, 더 가까이 오셔야죠. 그쪽 어깨가 다 젖고 있잖아요."

누군가 최우리 또 상황극 시작했다며 키득거렸다. 미진은 장단을 맞춰 주고 싶었지만 머릿속이 새하얘져서 그저 가까이 오라며 어깨를 감싼 우리에게 안긴 채 어색한 미소만 짓고 있었다. 그러는 동안 우리는 "제 소개가 늦었군요. 처음 뵙는 분이지만 아마 제 아버지의 이름은 들어 보신 적이 있을 거예요."라며 하나씩 설정을 더해 갔다.

상상 속에서 우리는 농장주이자 무역상의 딸이었다. 우리의 아버지는 자신의 휘하에 있는 이들을 비교적 인격적으로 대우하고, 도움을 청하는 빈민층을 외면하지 않는다고 했다. 그 덕에 지역 사회에서 두터운 신망을 얻어서 연말이면 주교가 직접 감사 인사를 전하기 위해 집으로 방문할 정도였다. 그런 아버지가 집안에서는 무시무시한 폭군이라는 사실을 아는 사람은 많지 않았다. 우리와 오빠에게는 오직 어머니의 따스한 사랑만이 안식처였지만, 병약했던 어머니가 세상을 떠난 지도 어언 십여 년. 아버지의 종교적 신념 때문에 제대로 된 치료조차 받지 못한 채 맞은 허망한 죽음이었다. 깊은 상처를 입은 오빠는 딱 한 번 아버지의 위선에 맞서며 대들었지만 매질을 당하고는 칠흑같이 어두웠던 어느 밤, 쪽지 한 장 남기지 않은 채 집을 떠났다. 이후 거대한 저택 안에서 우리가 마음을 붙일 사람이라고는 아무도 없었다.

"그러니까, 이 마을을 이곳을 벗어날 수 있다면 어디라도 좋아요! 저를 당신이 계신 곳으로 데려가 주세요."

우리는 식물원의 열대관을 빠져나가는 문 앞에 서서 그렇게 말했고, 미진은 쑥스러움을 무릅쓰고 겨우 입을 열어 "네. 저랑 같이 가요." 하고 소곤거렸다. 그러자 둘 바로 뒤에 있던 예은이 "딴딴따단 딴딴따단" 하고 결혼 행진곡을 부르기 시작했다. 우리는 열대관을 향해 뒤돌아서더니 힘차게 손을 흔들며 "안녕, 사바나!" 하고 상황극의 피날레를 장식했다. 누군가 열대 우림과 사바나는 엄연히 다르다고, 사바나는 초원을 뜻한다고 끼어들었지만 우리는 왜 초를 치는 거냐고 짜증 내기는커녕 "아, 제 아버지는 사바나 지역에도 거대한 토지를 가지고 계셨답니다. 물론 이제 저랑은 관계없는 일이지만요." 하고 재빨리 수정한 세계관을 들려주었다.

어쩌면 저럴 수 있을까. 미진은 진심으로 감탄했다. 어쩌면 우리는 어떤 상황에도 순발력 있고 유쾌하게 대처할 수 있을까. 모두에게 상냥하고, 누구에게나 편하게 말을 걸고, 얄밉게 트집을 잡는 친구에게조차 저토록 환하게 웃을 수 있을까. 미진은 우리를 열렬하게 닮고 싶었지만, 닮기를 바라는 게 어처구니없을 만큼 자신이 모든 면에서 우리와 반대라는 사실을 잘 알았다. 아버지의 일 때문에 몇 차례나 전학을 가 보았음에도 새로 친구를 만드는 일에 늘 서툴렀고, 긴장으로 굳은 표정 때문에 무뚝뚝해 보인다는 핀잔을 듣는 횟수가 늘어남에 따라 성격도 점점 더 소극적으로 되어 갔던 것이다.

무엇보다 고역인 것은 전학 간 학교에서 맞는 첫날이었다.

낯선 교실의 낯선 공기, 뻣뻣한 교복, 어색한 인사, 무엇보다 맨 처음 맞는 점심시간. 모두가 친한 무리끼리 삼삼오오 모이는 점심시간에 혼자 앉아서 애써 주변을 의식하지 않으려 애쓰며 서둘러 식사를 해치워야 하는 기분이란. 이 학교에서 맞이한 첫날에도 미진은 고개를 숙인 채 도시락 뚜껑을 열었다. 그때 우리가 다가오더니 "밥 같이 먹자." 하고 말을 걸어 준 것이었다.

미진은 그 상냥한 어투에 놀랐고, 함께 밥을 먹자면서 정작 우리 본인은 밥을 먹지 않는다는 사실에 더욱 놀랐다. 우리의 점심은 비닐봉지에 담아 온 방울토마토뿐이었다. 열다섯 개쯤 먹으면 30킬로칼로리 정도가 된다면서 우리는 가벼이 한숨을 쉬고 방울토마토 한 알을 입에 넣더니 지루하다는 듯 씹기 시작했다.

"다이어트 엄청 열심히 하는구나." 미진이 말하자 우리는 일 초의 망설임도 없이 "응. 돼지니까!" 하고 싱글거렸다. 함께 밥을 먹는 예은이 또 시작이라며 핀잔을 던지고, 옆 분단까지 웃는 바람에 전혀 그렇게 보이지 않는다고 대꾸하는 미진의 말은 묻히고 말았다.

우리의 키는 평균에 조금 못 미쳤으며 체격은 중간을 아주 조금 웃도는 정도였다. 웃으면 부드럽게 감기는 눈매에는 다정함이 깃들어 있었고, 찰랑이는 단발머리가 무척 잘 어울렸다. 도대체 어디를 봐서 스스로를 돼지라고 칭하는지 미진은 의아했다. 게다가 얼마 지나지 않아 미진은 우리가 남다른 운동 신경의 소유자라는 사실을 알게 되었다.

체육 선생님이 시범 보여 준 자세를 그대로 복사한 듯 완벽하게 소화하며 뜀틀을 넘는 우리의 날렵한 모습에 미진은 박수를 쳤다. 하지만 대단하다고 칭찬하자 우리는 양팔을 어깨 위로 힘차게 들더니 "날개 단 돼지!" 하고 받아넘겨 반 아이들을 웃겼다. 그날 하굣길에 분식집에 들렀을 때도 고작 김밥 세 개를, 그것도 햄을 빼고서 먹을 뿐이었다.

"최우리, 이제 햄도 안 먹는 거야?" 마주 앉은 예은이 고개를 갸웃거리며 묻자 우리는 고개를 끄덕이며 "동족상잔은 잔인하잖아." 하고 너스레를 떨며 '잔인한~'으로 시작하는 노래 후렴을 흥얼거렸다.

"저기, 진짜 그렇게 생각해?" 미진은 겨우 용기를 내서 물었다.

"돼지가 돼지를 먹으면 동족상잔 맞잖아." 우리가 대꾸했다. "동족상잔 뜻 알지? 같은 종족이 서로를 해친다."

"그러니까 나는 애초에 네가 너를 왜 그렇게 생각하는지 도무지 그 이유를……."

"마지막 떡볶이! 이건 미진이 먹어!"

맞은편에서 그만하라고 눈짓하던 예은은 급기야 떡볶이를 들이밀며 미진의 입을 막았다. 그러고는 미진이 다니는 수학 학원에 관심이 생겼다며 학원 가는 길을 혼자 따라오더니 대뜸 거미 공포증의 치료법을 아느냐고 물었다. 미진이 언젠가 텔레비전에서 본 적이 있다고, 공포증 환자를 오히려 거미에 반복적으로 노출시키는 방식이었던 것 같다고 대답하자 예은은 한숨을 쉬며 고개를 끄덕였다.

"내가 보기엔 우리가 딱 그거 같아."

"거미 공포증?"

"아니." 예은이 고개를 저었다. "자꾸 지가 돼지라고 하는 거 말이야. 그러는 이유가 그거 같다고. 우리도 원래 안 그랬어, 작년에 라디오 사건이 있기 전까지는. 정말, 이렇게 될 줄은 몰랐는데. 나 때문이야."

다시금 한숨을 쉬는 예은에게 미진은 도대체 무슨 일이 있었던 거냐고 묻지 않을 수 없었다. 예은은 처음에는 그 일을 더 퍼트리는 것 같다며 저어하다가 미진이 간곡히 조르자 최대한 간략하게만 알려 주겠다며 입을 열었다.

사건의 시작은 짝사랑이었다고 했다.

지난해 수련회에서 우리가 한 학년 위의 선도부 선배에게 반한 것이다. 연말이 되자 선배가 곧 졸업을 한다는 사실에 침울해하길래 예은은 마음을 전해 보라고, 직접 고백할 용기가 없으면 라디오에 사연을 보내 보라고 부추겼다. '아마 선배님은 저의 존재조차 모르시겠지만…….' 하고 시작하는 사연을 둘은 함께 다듬고 또 다듬었다. 매주 엽서를 보낸 끝에 사연이 채택됐을 때까지만 하더라도 기쁨의 눈물을 글썽였건만 문제는 사연이 소개된 이튿날이었다. 우리 대신 예은이 사연이 녹음된 카세트테이프를 들고 가서 내밀며 꼭 들어 보라고 했을 때, 선배는 관심 없는 듯한 얼굴이었다.

"이거 들어도 잘 모를 것 같은데. 날 어디서 봤다고?"

"작년에요. 작년에 수련회 갔을 때 제 친구 텐트에 청솔모 들어왔을 때!"

"그래. 청솔모. 너희가 4반이었어?"

"아뇨. 작년에는 5반이었어요. 기억나시죠?"

"아, 알겠다. 5반 첫 번째 텐트. 엄청 깍깍거리던 애가 제일 뚱뚱했던 것 같은데, 걔?"

교실에는 웃음이 터져 나왔고 누군가 칠판에 샛노란 분필로 이렇게 적었다.

5반 돼지의 고백

어찌할 바를 몰라 선배의 손에 테이프를 쥐여 준 채 교실을 빠져나왔다는 예은의 목소리가 귀 안쪽에서 나는 윙윙거리는 울림과 섞여서 아득해졌다. 미진은 잠시 양손으로 두 귀를 막았다. 하반신에 힘이 풀려서 무릎이 꺾였다.

쪼그려 앉은 채 잠시 숨을 고른 뒤에 미진은 우리가 칠판에 적힌 그 말을 직접 본 거냐고 물었다. 예은은 장담은 할 수 없다고 했다. 하지만 한 뼘쯤 열린 교실 뒷문에 바짝 붙어 서 있었으므로 그랬을 가능성이 높다고, 아마 선배의 뚱뚱하다는 말은 들었을 거라고 했다. 선배는 원체 키도 목소리도 큰 편이었으니까.

그러니 따지고 보면 '돼지'라는 단어는 선배가 직접 입에 올린 것은 아니었다. 뚱뚱하다는 표현을 쓰면서 지은 표정을 보건대 그래서 어떻다는 게 아니라 그런 식으로 인상에 남았다고 말했을 뿐이고, 하필 그때 텐트를 함께 쓴 애들이 유달리 마르기도 했다고 예은은 설명했다. 하지만 그런 사실이 생애 최초로 좋아하는 마음을 고백한 뒤 뚱뚱한 아이라고 지목된 우리가 받은 충격을 가시게 할 수는 없었을 것이다. 우리는 그날 울면서 조퇴했지만 며칠 지나자 평소의 활발한 모습을 되찾았는데, 다만 그때 이후로 다이어트에 집착하면서도 자꾸 자신을 돼지라고 일컫는다면서 예은은 입술을 깨물었다.

"나도 말려 봤는데 안 돼. 역효과만 난다고. 그러니까 그냥 모른 척해 주자. 고등학교 가면 잊어버릴지도 모르니까. 알지? 우리는 고등학교 여기서 먼 데로 간대."

예은은 미진에게 그렇게 당부했다. 그러고도 마음이 놓이지 않는지 이튿날에도 눈이 마주칠 때면 부탁한다는 듯 간절한 표정을 지어 보였다.

그날 이후로 미진은 종종 거미가 나오는 꿈을 꾸었다. 열대 우림 속에서 나타난 거대한 거미에게 쫓기는 꿈을 꾸고 나서 지쳐 일어나던 날, 미진은 복수라는 말을 떠올렸다.

그때껏 복수라는 단어를 진지하게 되뇌어 본 적은 처음

이었다. 이름도, 얼굴도 알지 못하는 그 선배에게 복수해 주고 싶었다. 우리가 느꼈던 것 이상의 모멸감을 안겨 주고 싶었다. 단 한마디로 평생 잊지 못할 상처를 낼 수 있는 말은 무엇일지 고민해 보았지만 쉽게 답을 구할 수는 없었다. 사실 당연한 일이기는 했다. 미진은 그 선배에 대해 아는 게 아무것도 없었기 때문이다. 선배의 입에서 나온 말을 들은 우리가 어떤 표정을 지었을까 하는 점도 실은 짐작이 되지 않았다. 우리를 생각하면 언제나 웃는 얼굴이 떠올랐으니까.

잠이 오지 않는 어느 겨울밤. 미진은 습관처럼 복수하고 싶다고 생각했다. 그러나 몇 가지 방법을 떠올린 후 자신의 빈약한 상상력에 낙담했다. 다음 순간, 어쩌면 진정한 복수는 어른이 된 후에, 상대가 완전히 방심하고 있을 때 가능할 것 같다는 생각이 스쳤다. 그러자 기분이 조금 전보다 나아졌다. 창밖으로 바람 소리가 심상치 않았고, 쉬이 잠들 수 없을 것 같아서 미진은 하릴없이 새 노트 한 권을 펼쳤다. 눈앞에서 어른거리는 우리의 얼굴을 그려 보려고 시도한 것은 자연스러운 일이었지만, 그러고 새벽 2시 반까지 끙끙거린 끝에 탄생한 그림은 자신이 얼마나 그림을 그리는 데 소질이 없는지만 깨닫게 할 뿐이었다.

한심한 실력으로 그린 우리의 얼굴 아래로 미진은 조그맣게 우리의 이름을 적어 넣었다. 어쩌면 우리는 이름도 우리일까. 새삼 감탄하며 우리의 이름 옆에 아주 작은 글씨로 자기 이름을, 차마 그대로 적을 수 없어서 이니셜로 써넣은 뒤 잠자리에 들었을 때는 심장이 뛰는 소리가 너무 크게 들려서 좀처럼 잠들 수 없었다.

겨우 두 시간쯤이나 자고 등교했을까. 이튿날 오전 내내 졸음과 사투를 벌이다 점심을 건너뛴 미진이 쿨쿨 자고 일어났을 때 책상 귀퉁이에는 바나나우유가 놓여 있었다. 5교시가 되기 직전 겨우 깨서 우유를 집어 든 미진은 그 아래 놓인 쪽지를 발견했다. 손바닥만 한 포스트잇을 4분의 1 크기가 되도록 접은 노란 종이에는 딱 한 줄이 적혀 있을 뿐이었다.

우유도 나 닮아서 뚱뚱해. ^^

우리의 글씨체는 이렇구나, 미진은 5교시가 시작하기 직전까지 쪽지를 들여다보고 있다가 반으로 접어서 지갑 맨 안쪽에 넣었다. 물론 그때만 하더라도 며칠 지나지 않아서 지갑을 잃어버리게 될 줄은 꿈에도 몰랐다.

함께 지갑을 찾아 주겠다며 하굣길을 역순으로 되짚어 가는 길에 동행해 준 것도 우리와 예은이었다. 교문을 지나고, 운동장을 살피던 시점에 예은은 지갑 안에 얼마가 들었길래 그토록 울상이냐고 물었다.

"돈은 별로 없어." 미진은 기어드는 목소리로 답했다.

"그럼 중요한 사진이 있구나?" 이번에는 우리가 물었다.

"사진은 딱히 없는데……."

"정답!" 예은이 외쳤다. "지갑 자체가 비싼 거지? 야, 어디 브랜드?"

이번에도 대답을 머뭇거리자 예은은 미진의 등을 쿡 찌르면서 도대체 뭐가 든 것이냐고 따져 물었다. 그러더니 미진 앞으로 자기 얼굴을 휙 들이밀며 수상하다고 했다.

"너 우리한테 뭐 숨기는 거 있지?" 예은은 돌연 목소리를 깔며 입을 열었다. "이봐, 최우리 형사, 지갑을 찾으면 아주 샅샅이 살펴보도록."

"네, 반장님. 그러고 나서 바로 국과수로 넘기시죠."

둘이 상황극을 이어 나가는 동안 미진은 여느 때처럼 한마디도 끼어들 수가 없었다. 적절히 보탤 만한 역할이나 대사가 떠오르지 않기도 했지만 무엇보다 이 상황극이 지갑을 찾은 후에도 이어져서 정말 우리가 지갑 안을 살펴본다면, 그 안에서 자기가 건넨 쪽지를 발견한다면 어쩌나 싶어서 겁을 먹은 탓이었다.

만일 그런 일이 생긴다면 우리는 어떤 표정을 지을까. 뭐라고 둘러대야 할까. 둘러대면 자연스럽게 넘어갈 수 있을까. 우리는 늘 웃는 얼굴을 보여 주지만 그때도 웃어 줄까. 지금까지는 단 한 번도 보지 못한 얼굴을 보게 되는 게 아닐까. 그러니까 거미 공포증을 가진 사람이 아주 큰 거미를 맞닥뜨렸을 때 지을 법한 표정을. 혐오감으로 일그러진 얼굴을. 그런 생각을 하자 귓속에서 윙윙 울리는 소리가 번져 나갔다.

"찾았어! 최 형사! 찾았다고!"

예은의 외침에 미진은 우리보다 먼저 도착해야 한다는 일념으로 허겁지겁 뛰어가다 자기 발에 걸려 넘어지고 말았다. 괜찮냐며 다가오는 우리가 부옇게 번져 보이는 것은 두 눈에 그렁그렁 맺힌 눈물 때문이었다. 다 들켜 버렸다고 미진은 생각했다. 우리는 비명을 지르고 도망갈지도 모른다. 아니 우리와 예은이 함께 그럴 것이다. 그런 생각에 맥이 풀려서 어깨를 들썩이며 우는데 예은이 미안하다고 말했다.

"저기 500원짜리 보고 장난친 건데. 야, 너 도대체 지갑에 뭐가 들었길래 그래. 알았어, 미안. 내가 분식 살게. 그만 울어."

우리는 언제나처럼 김밥이 나오자 자기 몫으로 세 개를 집어 들고 먼저 햄을 뺐다. 미진은 배가 고팠지만 방금 전까지 내처 울었던 일이 민망해서 국물만 들이켰다. 예은은 번갈아 가며 그런 둘의 입에 길쭉한 떡볶이 떡을 하나씩 넣어 주면서 이게 같이 먹는 마지막 떡볶이가 될지도 모른다고 강조했다.

"마지막일 것까지야? 고등학교 가서도 만나면 되잖아." 우리가 가볍게 항의했다.

"너 그 학교 가면 이제 이 동네랑 한참 멀어진다고. 고등학교 가면 야자까지 하는데 언제 만나냐."

"주말도 있잖아. 아무튼, 별로 안 멀어."

"멀거든."

멀다는 예은과 멀지 않다는 우리의 주장이 거듭 오가는 동안 미진은 또다시 코끝이 찡해져서 필사적으로 눈물을 참아야 했다. 굳이 혼자만 다른 동네에 있는 학교에 진학하는 이유를 이미 알고 있었으므로 그저 접시 위에 우리가 남겨 놓은 작은 햄 조각만 쏘아볼 뿐이었다.

분식집에서 나왔을 때 이미 학교 앞 골목은 어두워져 있었다. 우리는 춥다며 패딩 점퍼의 지퍼를 끝까지 올리더니 미진의 팔짱을 끼며 말했다.

"지갑 못 찾아서 어떡해. 지갑에 정말 뭔가 특별한 게 있었던 거 아니야?"

"응, 맞아. 실은, 나한테 엄청 소중한 게 있었어."

"뭔데?"

"다음에 얘기해 줄게. 내가 너희 학교 앞으로 갈게. 그 동네도 여기서 그렇게 안 멀잖아." 미진은 그렇게 말하며 애써 웃어 보였다.

*

"그다음에는요?" 윤재가 물었다. "만나서 고백했어요?"

"못 했지."

"왜요?"

왜였을까. 고등학교에 진학한 뒤에도 예은과 셋이 만난 날이 더 많았으므로 미진은 좀처럼 자기 마음을 전할 기회를 잡지 못했다. 어느새 고 3 수험생이 되었을 때는 수능을 앞둔 시점에 충격을 주기라도 할까 봐, 이듬해는 우리가 재수를 결정했으므로 말할 수 없었다. 우리가 대학에 진학하고 몇 해 뒤 교환 학생으로 선발되면서 물리적 거리는 점차 더 벌어졌다. 대학생이 된 미진에게도 변화가 찾아왔다. 진로를 바꾸어 입시를 다시 겪고 임용 고시를 준비하느라 눈코 뜰 새 없이 바빴던 것이다. 몇 번의 연애를 경험하기도 했다. 그러는 와중에도 미진은 바나나우유를 보면, 면접을 앞두고 극도로 긴장해서 이명이 들릴 때면, 여행지에서 잎사귀가 널따란 열대 식물을 발견하면, 무엇보다 '우리'라는 말을 쓸 때면 환하게 웃는 우리의 얼굴을 떠올렸다. 그럴 때면 생각했다. 언젠가 먼 훗날, 둘 다 머리가 하얗게 센 후라도 좋으니 우리의 웃는 얼굴이 자기 삶에서 어떤 의미를 지녔었는지 전하리라고.

"그런데 그런 날이 오기도 전에 그렇게 큰 사고가 날 줄은 몰랐지."

"사람들이 그러던데요. 그날 비가 너무 많이 왔다고. 사중 추돌이었대요." 윤재가 말했다.

"그래, 운전대를 잡을 때만 하더라도 빗발이 점점 더 거세질 줄 몰랐어. 내가 몰랐던 게 사실 그것뿐이겠니. 중 1 때만 해도 작달막했던 윤재가 고등학교 가서 이렇게 키가 컸는지도 몰랐지, 그렇게 힘들었는지도 몰랐고."

"선생님 장례식장에 그 첫사랑도 왔죠? 거기서 그렇게

보니까 기분이 어땠어요?"

"그게 윤재 네가 진짜 궁금한 거야?"

"네."

"진짜 물어보고 싶은 건 따로 있잖아."

윤재는 고개를 툭 떨어뜨리듯 끄덕인 후에 자리에서 일어났다. 발소리를 내지 않고 맨 앞자리로 이동하는 동안 윤재의 기억에 남은 모습 그대로 교실 안을 메우고 있던 반 친구들의 형상은 달빛 사이로 서서히 흐릿해져 가더니 이내 자취를 감추었다.

"너도 이제 그만 네 자리로 돌아가야지."

미진이 타이르자 사물함 위쪽에 걸터앉아 있던 녹회색 동상이 삐걱대는 쇳소리를 내며 움직이기 시작했다. 녹이 슨 쇠가 마찰하면서 나는 소리는 아무리 들어도 익숙해지지 않아서 미진은 귀를 막았고, 동상은 반쯤 지워진 눈을 찡긋거리더니 윤재가 앉은 책상 위로 액정이 깨진 휴대폰을 올려 두고는 교실을 떠났다.

"자, 이제 교실에 우리 둘밖에 없으니까 윤재 네가 정말 하고 싶은 얘기를 해."

"선생님은 마지막에 어땠어요?"

"너도 겪어 봐서 알잖아. 그때 눈앞으로 인생 전체가 펼

쳐지는 거. 그때 윤재 생각도 했어. 생각보다 일찍 윤재를 만나 보게 되었구나 싶더라. 넌 옥상에 섰을 때 어땠니? 부모님 생각은 안 났어?"

"안 났는데요. 우리 엄마 아빠는 제가 이 학교로 전학 온 후로 이제 저를 포기했다고 했어요. 완전히 포기했다고요. 어렵게 전학까지 시켜 줬는데 어디 가도 적응을 못 하고 성적도 바닥인 너를 구제할 길이 있겠냐고, 꼴도 보기 싫다고 했어요. 그러니까 지금 자기들 소원대로 된 거라고요. 내가 사라져 줬으니까."

"너한테 폭언을 하신 것까지 변호하지는 않을게. 어차피 지금쯤은 너도 그분들이 욱해서 한 말씀이 진심이 아니었다는 걸 모르지 않을 테니까." 미진은 윤재 옆자리로 와서 앉으며 말을 이었다. "하지만 윤재야, 그분들 꿈에 한 번쯤은 얼굴을 비추는 게 좋을 거야. 이렇게 보름달이 뜰 때마다 꼬박꼬박 학교로 돌아올 여력이 있으면."

윤재는 한동안 부서진 휴대폰을 쏘아보고만 있었다. 그러다 손을 뻗어 쥐어 보려 했지만 휴대폰은 손끝에서 튕겨 나가듯 옆으로 미끄러졌다. 몇 번을 시도해도 마찬가지였다. 휴대폰을 집을 수 있게 되기는커녕 닿을 수조차 없었다.

"윤재야. 선생님이 왜 이런 말 하는지 알지? 이제 여기에서 그만 맴돌고……."

"갔어요." 윤재가 포기했다는 듯 두 손을 들어 올리며 읊조렸다. "엄마가 하루 종일 울고만 있길래 꿈에 갔는데 엄마 목소리가 안 들려요. 분명히 날 부르는 거 같은데 그래서 가면 목소리는 안 들린다고요. 내가 하는 말도 못 듣는 것 같아요. 왜 그런 걸까요?"

"후회하니?"

"지금은 그런 것 같아요." 윤재가 울먹이기 시작했다. "이럴 줄 알았으면 그때 옥상에 섰을 때 마지막으로 한 번만 더 전화를 걸어 볼걸. 엄마랑 얘기해 볼걸. 왜 그런 걸까요? 여기로 돌아오는 건 쉬운데 다른 데로 가는 건 왜 어려운 걸까요? 겨우겨우 꿈 안으로 들어가도 왜 듣고 싶은 목소리는 들을 수 없는 걸까요? 꿈에서 제가 한 말은 정말 하나도 안 들렸을까요? 딱 한마디만 확실히 전하고 나면 여기서 떠날 수 있을 것 같은데. 어떻게 하면 되는 거예요? 네? 선생님, 마지막으로 그 얘기를 좀 해 주세요."

영고 1830

권여름

장편 소설 『내 생의 마지막 다이어트』로 2021년 넥서스 경장편 작가상에서 대상을 받으며 작품 활동을 시작했다. 소설집 『2의 세계』(공저) 등을 냈다.

오래전이나 가능했던 잔인한 일이 지금도 어디에선가 일어날 수도 있다는 이야기. 소름 돋는 건 그런 게 아니겠어?

*

영고를 영홍고등학교라고 부르는 건 타지인뿐이었다. 이 고장 사람이라면 노인부터 어린아이까지 모두 '영고'라고 했다. 같은 지역 내에 영일고와 영천여고도 있었지만, 영홍고만이 '영고'라 불렸고, 누구도 이것에 이의를 제기하지 않았다.

선점한 덕분이라고 말하는 이도 많았다. 가장 먼저 영고라고 명명했으니 그걸 이길 재간이 있겠느냐고. 물론 영고의 입장은 달랐다.

"선점해서가 아니다. 실력 있는 학교가 영고다."

입학식 환영사에서 이사장은 그렇게 말했다. 이 연설은 묘하게 학생들의 가슴을 뜨겁게 만들었다.

"실력을 키워라. 내 말 알아들어?"

늙은 이사장은 공적인 자리에서도 반말이었다. 그는 입학식에서 턱을 덜덜 떨며 실력이라는 단어를 스무 번 넘게 언급했다. 영고의 가장 오래된 건물 충민관 앞 비석에 새겨진 글자도 '實力(실력)'이었다.

영고 한 곳에서 명문대를 보낸 수가 지역 내 여러 학교에서 보낸 수를 합친 것보다 많았다. 다른 지역의 아이들까지 영고를 지망하다 보니 입학 경쟁률은 해마다 갱신되었다. 지역 사회는 영고의 학교 운영에 대해 무조건적인 신뢰를 보냈다. 학부모 민원도 거의 없었다. 영고의 홍보 책자 맨 앞 장에는 딱 두 문장이 굵게 인쇄되어 있었다.

—믿고 맡기십시오. 아니면 보내지 마십시오.

아이들 입장은 조금 복잡했다. 그곳을 향한 아이들의 시선에는 선망과 공포가 공존했다. 영고 밖에서는 천국, 안에서는 지옥. 이런 말이 농담처럼 중 3 교실에 떠돌았다. 자부심을 느끼며 학교에 다닐 수 있지만, 중학생 때 전교권 성적이던 아이들도 영고에서는 성적 내기가 쉽지 않다고 했다.

영고 지원을 망설이는 이유는 그뿐이 아니었다. 오래전부터 영고에는 불쾌하고 무서운 소문이 따라다녔다. 그 소문은 고등학교 원서 접수 철이 되면 더 부풀었다.

양희준도 어릴 적부터 '영고 1830'에 대한 소문을 들었다. 초등학생 때도 아이들과 모이면 영고 1830 이야기로 열을 올릴 정도였다. 중학생이 되어서 듣는 영고 1830은 더 구체적이었다. 양희준이 중학생이 되던 해, 영고 학생이 자전거를 타고 정문 쪽 내리막길을 내달리다가 차에 부딪혀 날아간 사건이 있었는데 이 사고는 꽤 오래 사람들의 뇌리에 박혀 입에 오르내렸다. 다름 아니라 그 학생이 영고 1학년 8반 30번이었기 때문이다. 영고 학번 1830에게 일어난 기이한 불행은 한 해도 빠진 적이 없었다.

1830 이야기 중 양희준을 가장 괴롭히는 이야기는 작년에 웅크린 채로 발견된 1830이었다. 영고에는 수형이 아름답고 오래된 나무가 있다고 했다. 오래전 벼락을 맞아 나무몸통에 커다랗고 새카만 공간이 있었다. 교과서를 그대로

펼쳐 둔 채 교실에서 사라진 학생은 그 나무 구멍에서 이틀 만에 발견되었다. 파랗게 질려 있었대. 머리가 잘린 모습이어서 처음 발견한 청소 할머니가 기절했대. 그 할머니는 앞니가 하나 빠져 있었고, 수위 아저씨가 그 빠진 이 사이로 액상 청심환을 넣어 줘서 겨우 정신을 차렸대. 머리가 잘린 게 아니라, 무릎 사이에 머리를 깊숙이 파묻고 있었대. 접힌 두 다리를 두 팔로 억세게 감싸고 있었다더라. 그 상태로 굳어서 그걸 펴는 데 애를 먹었대. 다른 아이가 끼어들었다. 못 폈다던데? 아무리 해도 안 돼서 그대로 화장했대.

고개를 수그려 앉은 채로 불구덩이 속에서 타는 1학년 8반 30번 이야기에 아이들의 눈빛은 호기심으로 이글거렸다. 존나 소름 돋지 않냐. 이렇게 말한 아이는 책상 위에 올라가 그 모습을 흉내 냈다. 아이들은 히죽거렸지만, 양희준은 전혀 웃기지 않았다.

양희준은 자주 그 1830 꿈을 꾸었다. 좁고 어두운 곳에서 그는 접힌 다리를 두 팔로 감싸고 목을 움츠린 채 떨었다. 자기 팔로 자기 몸을 억세게 묶은 모습. 그런 꿈을 꾸고 나면 양희준은 이유를 알 수 없이 슬퍼져 울었다. 슬프다가 이내 무서워졌다.

중 3이 되어 원서 접수 철이 되자 양희준은 망설였다. 아버지는 단호하게 영고라고 말했지만, 쉽게 선택할 수가 없었다. 담임은 영고 원서를 쓸 자격이 있는 아이가 망설이는 걸 이해하지 못했다. 양희준은 애매한 축이었으나, 수치상 합격선이었다.

"붙어도 거기서 등수가……."

양희준은 아버지에게 영고에서 등수를 낼 자신이 없다고 말하며 말끝을 흐렸다. 아버지는 화가 날 때 짓는 그 특유의 냉담한 표정으로 희준을 바라보았다.

"진작 공부하라고 했지."

양희준은 공부를 하지 않은 적이 없었다. 늘 열심히 했지만, 최상위권이 되지 못했다. 아버지는 고등학교 희망 조사서 학부모 칸과 학생 칸 모두에 영고를 쓴 뒤 도장을 찍었다.

"이제 너한테 많이 안 바란다."

아버지는 선심 쓰듯 말했다.

"중간만 가, 중간만."

*

합격이었다. 영고 합격 소식을 들은 아이들은 소리를 질렀다. 환호성이면서 동시에 비명이었다. 모두가 1830의 가능성을 지닌 불행의 후보자였다. 그러나 내심 자신이 1830이 될 거라고 생각하는 아이들은 없었다. 무서운 놀이기구 앞에 도착했을 때 정도의 표정. 양희준은 다른 아이들처럼 비명을 지르는 대신 주먹을 꽉 쥐었다.

합격 이후 일정은 빠르게 진행되었다. 영고 반 배치 고사를 치르기 위해 아버지의 제자에게 2주간 과외를 받았다. 영고는 오롯이 성적으로만 반 배치를 하는 것으로 유명했다. 그러니까 1반 1번이 전교 1등이고, 8반 30번이 전교 꼴찌였다. 태어나서 공부를 가장 많이 한 것 같다고 어머니에게 투정을 부리면서도 양희준은 성실하게 반 배치 고사를 준비했다. 공부는 할 만했고, 1830에 대한 두려움도 점차 사그라졌다.

반 배치 고사를 치른 지 일주일이 지나자 반 배정이 났다. 영고에 직접 가야 반을 확인할 수 있었다. 강당 정문에만 섰는데도 아이들의 술렁임이 그대로 전해졌다. 반 배정 종이가 붙은 벽 앞으로 다가갔다. 털썩 주저앉아 멍하게

벽을 응시하던 아이를 보고, 희준은 그 애가 1830이길 바랐다.

1반 명단을 시작으로 마지막 8반까지 죽 늘어선 반 배치 종이를 바라보았다. 중간 어디쯤에서 자신의 수험 번호와 이름이 발견되기를 기도하며 천천히 명단을 살폈다.

그러나 1반부터 7반까지 그 어디에도 양희준의 이름은 없었다. 다시 1반으로 돌아가 천천히 살펴보고 난 뒤, 결국 8반 명단 앞에 섰다. 1801부터 시작해 시선을 천천히 아래로 떨어뜨렸다. 이 반에서 중간쯤 자기 이름이 있기를 간절히 바랐다. 양희준의 눈썹이 떨렸다. 1828 박서진, 1829 장동규. 그리고 1830 양희준.

눈앞이 흐릿해졌다. 8반 명단 앞에서 서성이는 녀석들이 많았다. 수많은 눈이 불행의 주인공을 찾느라 분주했다. 상대적인 안도를 누리려는 시선들 속에서 희준은 숨이 막혔다.

강당에서 뛰쳐나와 차가운 겨울 공기를 들이마셨다. 목적지 없이 학교 안을 걷고 또 걸었다. 목구멍이 꽉 조여 왔고 쓰렸다. 그렇게 걷다가 학교 맨 뒤편, 충민관 앞까지 걸어 들어갔다.

현대식 교정 뒤에 자리한 이 공간은 갑자기 다른 세계로 건너온 것 같은 느낌을 주었다. 나무둥치에 이끼가 낀 오래된 나무들이 충민관을 호위하고 있었다. 일본식 사찰 형태의 근대 건물 충민관은 기와를 얹은 지붕의 상하 폭이 넓고 경사가 심했다. 지붕의 모양과 어울리지 않는 겹처마의 새까만 서까래와 하늘을 향한 처마 끝은 위압적이고 날카로웠다. 동창회관과 영고 박물관, 이사장실이 있는 이곳은 영고를 상징하는 공간이었다. 신입생에게 나눠 주는 영고 노트 표지의 메인 모델도 충민관이었다.

충민관 오른쪽 끝의 나무에 양희준의 시선이 멈췄다. 풍문 속에서 떠돌던 그 나무였다. 충민관으로 떨어질 벼락을 대신 맞고 배가 갈렸다는 나무는 미련한 장수처럼 충민관을 묵묵히 지키고 있었다. 자랑스러운 듯 까맣게 그을린 배를 그대로 노출한 채로. 나무의 그 빈 곳은 생각보다 좁았다. 저 좁고 어두운 곳에 어떻게 몸을 구겨 넣은 걸까. 희준은 풍문 속 그의 웅크린 모습이 떠올라 황급히 고개를 털었다.

집에 돌아가 어머니에게 1830이 되었다고 말했다. 어머니는 아주 잠깐 당황하는 기색이었다. 아주 잠깐. 굳이 따지자면 1초에서 2초 정도. 그런데도 어머니의 표정이 슬로

비디오처럼 정확히 보였다. 어머니는 희준을 안아 주었다. 그날부터 매일 괜찮다고 말해 주었다.

"1830 그런 건 다 쓸데없는 소리이야. 알잖아, 아들. 영고잖아, 영고."

어머니는 자주 숨이 막힐 정도로 억세게 양희준을 안았다. 그럴 때마다 희준은 보란 듯 잘 살겠다고 결심했다. 그동안 1830에게 벌어졌다는 불행의 흐름을 끊는 사람이 되겠다고. 그들처럼 죽지 않을 거라고. 그런 결심을 하면서 양희준은 자신이 한층 용감해졌다고 느꼈다.

1830 학번을 배정받은 후 아버지는 아들과 말을 섞지 않는 것도 모자라, 밤에는 어머니와 자주 다퉜다. 어머니는 밤마다 이를 꽉 깨물고 울었다. 아침에 어머니의 아랫입술은 밤새 굳은 피로 까맣게 줄이 그어진 것처럼 보였다. 영고를 쓰라고 한 건 아버지였다. 무조건 영고라고, 영고가 아닌 고등학교로 절대 보내지 않을 거라고. 이 동네에서 영고 아니면 뭘 할 수 없다고, 그냥 병신 되는 거라고. 그렇게 말한 건 아버지였다.

영고 신입생들은 2월부터 등교했다. 영고인이 되기 위한 한 달간의 훈련 기간이라고 했다. 양희준의 우려와 달리 아버지는 30분 먼저 출근했다. 첫 등교 날 아버지가 차에 타라고 하면 어쩌나 고민했는데 다행이었다. 영고 교사인 아버지와의 관계가 학교에 밝혀지는 건 본인이 더 싫었다.

조회 직전 교실에 도착한 건 양희준뿐이었다. 반에서 꼴찌로 학교에 온 것이다. 분위기는 몹시 삭막했다. 웅크리고 있는 반 녀석들은 영고의 지독한 성적 경쟁에서 절대 뒤떨어지지 않겠다는 의지를 뿜어내고 있었다. 이미 여러 번 공부해서 낡아 버린 『수학의 정석』을 보고 있거나 영단어를 외웠다. 그토록 오고 싶던 이곳에서 누구도 행복해 보이지 않았다.

그들의 굳은 얼굴이 조금 풀어진 건 양희준이 30번 자리에 앉을 때였다. 책상에는 '1830'이라고 적힌 라벨지가 붙어 있었다. 아이들이 일제히 맨 끝 30번 좌석에 앉는 양희준을 바라보았다. 29번 녀석은 조금 복잡한 표정이었다. 앞문에서 담임이 들어오자 그제야 모든 시선이 앞을 향했다.

3년, 겨우 3년이라고 했다.

"영고에서 3년 버틴 놈은 어디서나 성공한다."

담임을 시작으로 들어오는 과목 선생들은 하나같이 엄격하고 단호했다. 촘촘한 성적의 세계에서 조금만 방심하면 바로 내리막길이라고 강조했다. 체벌이 일상인 시절이었지만, 영고는 더 노골적이었다. 교실 중간에 앉아 있던 녀석은 첫 시간부터 졸았다고 손등을 지휘봉으로 세게 맞았다. 체벌한 선생님은 영고 전단지의 첫 줄을 다시 읽어 주었다. 믿고 맡기십시오. 아니면 보내지 마십시오.

엄격하고 폭력적인 선생들 사이에서 그나마 덜 무서운 사람이 사회 선생이었다. 그는 매를 가지고 오지 않았다. 수업을 재밌게 하는 사람이었고, 가끔 해 주는 잡담이 위로처럼 들리기도 했다. 유일하게 사회 시간에 숨통이 트였다. 그 아이가 손을 들어 수업과 관련 없는 질문을 한 것도 아마 그 때문이었을 것이다.

"1830이 죽는 거 선생님도 매년 보셨나요?"

아이들 몇몇은 뒤를 돌아 양희준을 바라보았다. 무심히 짧게, 그러나 호기심에 이글거리는 눈빛으로 말이다.

"야, 너 나와."

사회 선생이 질문한 녀석을 불러 세웠다. 학생의 얼굴을 아무 말 없이 빤히 노려보던 선생이 뺨 때리는 시늉을 했다. 아이의 얼굴 왼쪽에서 한 번, 오른쪽에서 한 번. 자기 왼쪽 손바닥을 오른손으로 세차게 쳤다. 그 애의 얼굴은 방금 뺨을 맞은 것처럼 붉게 타올랐다. 일순간에 교실이 냉각되었다. 사회 선생이 씨익 웃으며 말했다.

"때린 거 아니다?"

희준의 몸이 떨렸다.

"그런 쓸데없는 생각 할 시간에 공부해라."

그래, 여기까지 그나마 괜찮았다. 그러나 사회 선생은 기어이 한마디를 더 해서 모욕감을 줬다.

"그런 거 물어본 건 8반 놈들 너희 반이 유일해. 8반인 거 티 내는 거냐?"

1830에 대한 것이니 8반 학생이 궁금한 건 당연한 거 아닌가. 이미 8반에 배정된 것만으로 아이들에겐 충분히 모욕적이었으나, 눈앞에서 뱉어진 치욕적인 말에 몸서리를 쳤다. 그날 이후 8반에는 어디로 향해야 할지 모르는 적대감이 뿜어져 나와 뒤엉켰다. 무슨 이유인지 그 분노는 1830 자리로 쏟아졌다. 아이들이 왜 자신을 노려보는지 희준은 도무지 알 수 없었다. 더욱이 29번마저 자신을 무시하는 게 어이없었다.

1830이 빨리 불행을 겪어야 아이들이 간신히 안도할 수 있을 것 같았다. 희준은 그렇게 느껴질 때마다 더 아무렇지 않게 지냈다. 그리고 자신만이 들을 수 있는 목소리로 선언했다. 불행해지지 않을 거다. 살아남을 거다.

문제는 1830 자리에 앉을 때마다 통증이 느껴진다는 거였다. 교실 뒷문과 가장 가까운 맨 끝 가장자리. 이 자리에 앉을 때마다 가슴이 뻐근해졌고, 심장과 목이 부어오르는 기분이었다. 담임에게 요청한 질병 조퇴는 세 번이나 거절당했다. 어디 하나 부러지거나 피가 나지 않는 이상 조퇴는 절대 불가라고 했다. 하얗게 질린 얼굴에 식은땀이 흐르기 시작하자 담임은 그제야 조퇴를 허락했다. 뒤돌아서는 희준에게 걱정이 가득 담긴 목소리로 말했다.

"건강도 실력인데……."

어머니와 병원에 갔지만, 결론은 '이상 없음'이었다.

"어? 내 후배네."

진료를 마친 의사는 영고 교복을 입은 희준의 어깨를 두드려 주었다. 그 순간만은 영고에 입학한 게 다행이라는 생각이 들었다. 아주 오랜만에 어머니가 웃었기 때문이다. 어머니가 활짝 웃자 부르튼 입술이 갈라지며 작고 붉은 핏방울이 올라왔다.

*

아버지는 선심 쓰듯 중간만 가라고 했지만, 영고에서 중간을 하는 건 결코 쉬운 일이 아니었다. 희준은 8반이 아닌가. 더욱이 30번. 선생님들은 8반으로 입학해 1년 만에 1반이 된 선배의 사례를 내세우며 포기하지 말라고 했다. 그가 어떻게 공부했고, 어떤 정신으로 무장했는지를 들으면 양희준은 오히려 아득해졌다. 도무지 도달할 수 없는 세계 같았다.

"얌마, 넌 내년에 7반이라도 올라가. 응? 한 문제만 더 맞으면 가는 거야."

8반 1번에게 헤드록 거는 시늉을 하며 사회 선생이 친근하게 말했다. 녀석은 쑥스러워하면서도 환하게 웃었다.

날이 풀리고 첫 시험에 가까워질수록 양희준의 건강 상태는 점점 심각해졌다. 코피를 흘리고 쓰러지는 녀석들은 보건실에라도 갈 수 있었다. 바깥으로 티가 나지 않는 통증은 누구도 알아주지 않았다.

그럴 때마다 희준은 아무도 없는 충민관으로 갔다. 충민관 지붕 아래 서서 처마를 올려다보았다. 2월 등교 때에는 고드름 아래 오래 서 있었다. 밑으로 갈수록 날카로워지는 거대한 고드름 아래에 서면 통증이 멈췄고, 머리도 한결 가벼워졌다. 지금은 고드름 대신 충민관 지붕 위로 넓게 가지를 뻗은 나무를 바라보았다. 그 나무가 만들어 낸 거대한 그늘에서 눈을 감고 서면 오래된 식물에서 나는 오묘한 향이 온몸을 휘저었다. 가슴의 통증이 조금씩 가라앉는 듯했다. 그러다가 구멍이 난 그 나무에 시선이 멈추면 희준은 재빨리 고개를 돌렸다.

"비켜라."

불쾌한 기분에 뒤를 돌아보니 이사장이었다. 90세가 넘은 고령에도 불구하고 하루도 빠지지 않고 충민관 이사장실로 출퇴근한다고 했다. 노구였지만 강당 단상에 서 있던 모습보다 훨씬 거대하고 위압적이었다. 교실 세 칸짜리 영고 기록실 벽에서 이사장 사진을 본 적이 있다. 입학식 날이었다. 신입생 모두 강당에서 나와 충민관으로 향했다. 신입생들은 줄을 서서 천천히 영고 기록물을 살펴봐야 했다. 인솔 교사는 역대 교장과 이사장 사진 앞에서 학생들을 멈추게 했다. 지금 얼굴에서 도저히 찾아볼 수 없는, 피부가 무너져 내리지 않은 젊은 시절의 이사장을 희준은 그때 보았다.

지금 희준의 눈에 이사장의 얼굴은 죽음을 향해 달려가는 것처럼 보였다. 흙을 작게 뭉쳐 놓은 것처럼 질감 있는 검버섯이 얼굴 곳곳에 피어 있었고 자신을 노려보는 축축한 눈가에 노랗게 눈곱이 녹아 있는 게 보였다. 말을 할 때마다 양 입가에 하얀 침이 피어올랐다.

"길 비키고, 어른 보면 인사를 해라."

발음이 뭉개졌지만, 음성 또한 힘 있고 날카로웠다. 이사장 입에서 비릿한 이끼 냄새가 났다.

양희준이 그제야 고개를 숙였다.

"몇 반이냐."

이사장이 지팡이 끝으로 희준 가슴팍의 한자 이름표를 누르며 이름을 읽었다.

"양희준이. 너, 몇 반이냐고."

"8반인데요?"

이사장은 어떤 대꾸도 하지 않고 뒤돌았다. 희준의 가슴팍을 불쾌하게 누르던 지팡이는 어느새 축축한 땅을 짓이겼다. 충민관 왼편에 세워진 까만 차에서 운전기사가 황급히 내렸다. 운전기사는 다리가 불편한 거구의 노인을 부축해 차 안으로 안내했다. 차는 정문 쪽을 향해 미끄러져 나갔다. 사라지는 차량을 바라보며 중얼거렸다.

"낼모레 관짝 들어갈 노인네가."

그건 아버지가 술에 취해 집에 올 때마다 이사장을 욕하며 하던 말이었다. 희준은 계속 중얼거렸다. 관짝에나 들어가지.

"새꺄. 왜 거기 서 있어?"

담임은 충민관 앞에 서 있지 말라고 재차 명령했다. 이사장이 거슬린다고 했다고. 미친놈이냐고 물었다고 했다. 희준은 다시 그곳에 가지 않겠다고 약속했다. 그러나 실은 발길을 끊을 자신이 없었다. 그날 이후 교실에서 억울한 일을 당할 때마다 희준은 이사장을 떠올렸다. 후들거리며 걷는 그의 커다란 등을 힘껏 밀었다. 지팡이가 멀리 날아갔고, 녹다 만 얼음 위로 늙은이의 커다란 코가 박혔다.

4월 초는 중간고사였다. 중간만 가라고, 중간만. 희준은 아버지의 말을 되새기며 최선을 다했다. 영고에서 중간이면 내년엔 4반에 갈 수 있는 성적이었다. 중간이라는 말이 아득했다. 도저히 도달할 수 없는 거리가 희준과 '중간' 사이에 놓여 있었다. 그 사이에 차고 새카만 강이 출렁이는 것 같았다.

시험이 끝나고 얼마 되지 않아, 아버지는 교무실에서 미리 성적을 확인했다. 술에 취해 귀가한 아버지 앞에 희준이 무릎을 꿇고 앉았다. 희준의 아버지는 고개를 숙인 아들의 하얀 뒷덜미를 억세게 쥐었다. 자기보다 한참 떨어지는 대학을 나온 동년배 교감의 아들은 전교 10등으로 들어와 이번 중간고사에서 2등을 했다고 말했다. 어떻게 너는 성적이 똑같을 수가 있느냐고. 뒤에 있는 놈들은 성적 오르는 게 더 쉽다고. 전교 10등이 9등 되는 게 어렵지. 꼴등인 놈이 몇 등 오르는 건 일도 아니라고. 토해 내듯 말하던 아버지는 아이처럼 울부짖었다.

아버지가 우는 장면을 본 건 적잖이 충격이었다. 그게 울 일인가. 가슴이 서늘해졌다가 눈물이 그렁그렁 맺혔다. 아버지에게 잡힌 뒷덜미는 멍이 들어 며칠 아렸다. 희준은 중간고사 이후, 점심시간에 충민관 가는 발길을 완전히 끊었다. 점심에도 학급 친구들은 공부했다. 자기가 최선을 다하지 않았다는 것을 깨달았고, 그것은 되레 희망이었다. 해도 안 되는 것이 아니라, 안 했기 때문에 안 되는 것이다. 최선을 다 하면 1830의 저주도 깰 수 있을 것이다. 내가 그 사람이 되어 보자. 희준은 그런 결심을 했다.

결심이 강해질수록 1830 자리에서 겪는 통증은 나날이 심각해졌다. 오래달리기를 한 직후처럼 가슴이 뛰었고, 칼끝으로 갈비뼈를 긁는 것만 같은 통증에 정신을 차릴 수 없었다. 유독 1830 자리에만 앉으면 더 그랬다. 중간만 가라고, 중간만. 아버지의 안쓰러운 눈망울이 떠올랐다. 하지만 이런 상태로는 수업을 듣는 것조차 불가능했다.

자리의 문제인 게 확실했다. 한 칸만 앞으로 가면 좀 덜할 것 같았다. 식은땀까지 흘리며 거칠게 숨을 내쉬는데도 봐 주는 사람이 없었다. 양희준이 29번의 등을 두드렸다. 29번은 더러운 것이라도 묻은 것처럼 불쾌한 표정으로 뒤돌아보았다.

"자리, 잠깐 바꿔 주면 안 될까?"

29번은 말없이 고개를 돌리는 것으로 거절의 답을 보냈다.

몇몇 아이들이 뒷자리의 작은 소란을 슬쩍 확인하고 빠르게 고개를 돌렸다. 누구도 희준을 오래 바라보지 않았다. 말을 걸어 주는 사람도 없었다. 희준에게 닥칠 불행이 자기에게 옮기라도 할까 봐 전전긍긍하는 것 같았다.

기말고사가 다가오자 몸 상태는 심각해졌다. 조금만 숨을 크게 쉬어도 갈비뼈가 부스러질 것 같았다. 신경과 근육, 그것이 무엇이든 툭 하고 끊어질 것만 같았다. 소리 내어 끙끙대도 누구 하나 바라보거나 묻지 않았다. 어떻게 이렇게까지 없는 사람 취급을 할 수 있나 싶었다.

혹시 내가 유령은 아닐까. 희준은 문득 그런 생각이 들었다. 그런 이야기가 있지 않은가. 자기가 죽은 줄 모르고 세상을 떠도는 영혼 이야기. 신호등 앞에서 지각할까 봐 연신

시계를 보며 녹색 불을 초조하게 기다리는 귀신을 보았다는 이야기 같은 것들. 희준은 자신이 이미 죽은 사람일 수 있다고 생각했다. 그러면 비로소 많은 것이 설명된다. 없는 사람 취급하는 반 아이들과 선생님들, 말을 섞지 않는 아버지도, 밤마다 이를 악물고 우는 어머니도 말이다. 양희준이 29번의 등을 볼펜으로 두어 번 쿡쿡 찔렀다. 녀석이 돌아보자 입을 열었다.

"야, 나 보여?"

멍하던 29번의 표정은 바로 서늘해졌다. 이번에는 짧고 날카로운 말이 돌아왔다.

"좆밥 새끼가 미쳐 가지고."

겨우 땅을 딛기 위해 발목에 팽팽하게 묶어 둔 줄이 툭 끊어져 버린 기분이었다. 당장이라도 몸이 허공 속으로 날아가 흔들리다가 참혹하게 부서져 버릴 것만 같았다. 어느 구석이든 달려가 웅크리고 싶었다. 머리를 보이지 않게 무릎 사이에 파묻은, 파랗게 질린 그의 목덜미가 떠오른 건 그때였다. 희준이 충민관으로 달려갔다.

오래되고 거대한 나무들이 만들어 낸 그늘 때문에 충민관 주변은 초저녁처럼 어두웠다. 희준은 좁고 어두운 나무의 구멍을 마주한 채 오래 서 있었다. 그 형은 끌어안아 줄 누군가 필요했던 거다. 의자에 앉듯 엉덩이부터 나무 구멍으로 밀어 넣었다. 고개까지 파묻어 몸을 꽉 웅크렸다. 희한하게 머리와 가슴의 통증이 사라졌다. 양희준은 두 팔로 두 다리를 더 힘껏 끌어안았다. 명치의 통증이 천천히 사라지고 편안함이 밀려왔다. 동시에 코끝이 시큰해졌다.

"이런 쪼다 새끼를 봤나."

구부린 등짝에 뭉툭한 것이 거칠게 닿더니 이내 살을 짓이겼다. 작살로 물고기를 잡는 원시인처럼 이사장은 지팡이로 희준 몸을 여기저기 억세게 찔렀다. 운전기사가 희준을 끌어 내렸다.

그대로 땅에 엎드린 희준의 코가 이사장 발끝에 닿았다.

"8반 놈이지, 너."

불도그처럼 늘어진 양 볼에 경련이 일어났다. 이사장은 허공을 향해 화를 냈다.

"한 해도 안 거르고 정신 나간 놈들이 들어와, 왜!"

희준의 가슴에서 뭔가 툭 하고 또 끊어지는 소리가 들렸다. 동시에 내부에서 꽉 막혔던 게 아예 터져 버리는 듯했다. 놀랍게도 알 수 없는 해방감 같은 것이 환하게 가슴에 퍼졌다. 희준이 이사장을 똑바로 바라보고 씨익 미소를 지었다. 이사장은 지팡이로 양희준 가슴팍의 이름표를 툭툭 건드렸다.

"8반 놈이, 주제에 싹수가 없네. 너 번호, 번호 말이야. 몇 번이야?"

*

이사장이 앞으로 고꾸라지며 입에서 뭉툭한 것이 빠져 나왔다. 양희준은 피 묻은 틀니를 발로 짓눌렀다. 통증이 날카롭게 무릎을 찌르더니 바로 발끝까지 퍼졌다. 운동장 쪽에서 황급히 달려오는 운전기사를 바라보며 본관을 향해 천천히 발걸음을 옮겼다. 도착한 운전기사는 쓰러진 이사장을 흔들어 깨우고, 동공을 확인했다.

"거기 서."

그렇게 말해 놓고도 이사장을 돌보느라 희준을 따라오지 않았다. 희준은 본관 건물로 향하면서 계속 중얼거렸다.

"그건 물어보지 마시지."

희준은 1830 학번을 받았을 때 했던 약속을 기억했다. 두려움과 모욕감에 떨고 있는 자신에게 해 준 약속. 제 팔로 제 몸을 안아 주는 것과도 같던 순간. 불행해지지 말자. 죽지 말자. 살아남자. 두 손이 부들부들 떨렸다. 아무리 주먹을 꽉 쥐어도 소용없었다.

아버지. 여기에는 아버지가 있다. 꼴등 반의 꼴등 아들을 둔 영고 수석 서울대 출신 아버지. 중간만 가라고. 그러면 가까운 의대는 갈 수 있다고. 재단 비리 문제로 폐교설이 도는 근처 대학교에 의과 대학이 있다고. 서울대 가 봐야 까딱 잘못하면 겨우 선생이라고. 선생질은 사내새끼가 할 일이 아니라고. 너는 중간만 가서 의사 되라고. 애처로운 눈빛으로 아들을 바라보았던 아버지.

양희준이 교무실 문을 열었다. 교사들이 거칠게 열린 문을 향해 불쾌한 눈빛을 쏘아 보냈다. 떨리는 목소리로 희준은 아빠, 하고 불렀다. 아버지는 교무실 한쪽 끝 개수대에서 양치 중이었다.

"아빠!"

아버지가 못 들은 것 같아서 희준은 크게 소리쳤다. 아버지는 별안간 싱크대의 물을 틀고 입을 헹군다. 희준의 목소리가 물소리에 묻힌다.

"야, 너 누구야. 지금 수업 시간이잖아."

교무부장이 말한다. 그 옆에 사회 선생이 양희준의 얼굴을 빤히 쳐다보더니 말한다.

"8반 30번, 1학년."

교무부장이 묘한 표정을 보인다. 다른 사람은 상관없다. 양희준은 아버지를 바라본다. 아버지는 몇 번이고 오래 입을 헹군다. 그래 아버지는 집에서도 오래, 아주 오래 입을 헹구시지. 깔끔한 분이니까.

양희준은 교무실 문을 닫고 절뚝대며 복도를 걸었다. 그러다 갑자기 걸음을 멈추었다. 앗, 하고 손바닥으로 자기 이마를 탁 친다. 평소 부르던 아버지, 라고 불렀어야 했다. 아빠라고 불렀으니 알아듣지 못하신 거야. 희준의 입에서 신음이 새어 나왔다. 한 발 디딜 때마다 무릎이 쇠꼬챙이로 찔리는 것 같다. 무릎에서 퍼지는 통증이 하반신 전체를 강타한다.

이사장이 지팡이로 후려쳐서 부어오른 무릎을 아버지에게 보여 주려고 했다. 그 할아버지가 선빵만 안 날렸어도, 밀지 않았을 건데. 희준은 누구도 들어 주지 않는 말을 중얼거리며 교실로 향했다.

계단을 오를 때마다 다리의 통증은 더 심해졌다. 금속 계단 손잡이의 차가운 기운이 뾰족한 얼음이 되어 온몸을 찌르는 것 같았다. 다리가 움직이는 게 신기할 정도였다. 양희준은 엄마처럼 윗니로 아랫입술을 꽉 깨물었다.

섭섭한 마음은 29번에게로 향했다. 29번 녀석, 자리 한

번 바꿔 달라고 했는데 그게 그렇게 힘든 일이었을까. 다른 놈들은 몰라도 겨우 한 문제 차이로 이 불행을 피했을 너는 나에게 조금이라도 더 관대했어야지. 희준은 속으로 그렇게 읊조렸다. 한 문제 차이가 아니라 동점이었는지도 모른다. 동점인 경우, 생년월일이 늦은 순으로 줄을 세운다고 했다. 녀석은 생일이 며칠 늦은 덕분에 30번을 피했는지도 모른다. 8반을 향해 복도를 걷는 동안 그동안의 서러움이 파도처럼 가슴속을 휘저었다.

8반 문고리를 잡았다. 아이들은 자습 중이었다. 요란한 문소리에 아이들이 뒤를 돌아보았다. 양희준이 성큼성큼 29번에게 향했다. 복수라면 복수였다. 아무리 생각해도 할 수 있는 복수는 이거 하나였다. 희준은 자기 자리의 의자를 들어 빈 곳에 던졌다. 29번 녀석은 그걸 태연하게 바라보았다. 29번의 표정이 묘하게 일그러진 건 양희준이 맨 끝의 자기 책상을 들었을 때였다. 그것을 들고 뒷걸음질 칠 때. 세상에서 가장 무서운 장면을 보듯 창백해진 그 아이의 얼굴을 보자 이 복수가 성공했음을 직감했다. 양희준은 책상을 들고 나갔다. 양희준이 중얼거리는 소리가 29번의 귀에 꽂혔다.

"이제 니 차례."

책상을 들고 향한 곳은 옥상이었다. 누구도 이 책상을 다시 교실에 들여놓는 일이 없도록 깔끔하게 처리할 생각이었다. 소란에 놀라 희준을 따라온 건 그의 아버지였다.

"양희준!"

오랜만에 불러 주는 이름이었다. 아버지는 천천히 두 손을 뻗어 희준에게 다가왔다. 아버지는 뭔가 오해하고 있었다. 양희준이 안심하라는 표정을 지어 보였지만, 아버지는 아들의 표정을 읽어 내지 못했다. 옥상 끝에서 책상을 던지려고 할 때, 아버지는 강하게 양희준의 팔을 잡았다. 양희준은 그 순간의 온기를 아직도 기억한다. 책상과 엉킨 두 사람의 무게 중심이 잘못 기울기 시작했다. 양희준과 책상이 공중으로 기울었을 때는 아무도 손쓸 수 없었다. 희준의 몸에서 튕겨 나와 옥상 바닥에 주저앉은 아버지의 시선에서 순식간에 양희준이 사라졌다.

희준은 억울했다. 목표는 불행해지지 않는 거였다. 끝까지 살아남기. 그 목표가 바뀐 적은 단 한 번도 없었다. 언제나 이를 악물고 버텼다. 뒤늦게 8반 녀석들이 한꺼번에 옥상으로 올라왔다. 그들은 희준을 못 봤지만 희한하게 희준은 그들이 보였다. 그들의 표정 하나하나가. 영원히 1830이 될 리 없다고 안심하는 녀석들에게, 그게 아니라고 알려 주려던 것뿐이었다. 책상만 버리려던 거였어, 얘들아. 믿어 주라. 그렇게 양희준이 말을 끝냈을 때, 묵직한 것이 화단에 떨어져 부서지는 소리가 났다.

*

이사장은 그 후 몇 년 동안 무용담처럼 그날의 소리에 대해 말하곤 했다. 동창회 총무까지 사무실에서 나와 자신의 얼굴에 찬물을 끼얹었다고. 구급차가 오는 동안 운전기사가 빰을 때려도 정신이 들지 않았다고.

그는 그 순간, 참 무섭고도 아름다운 꿈을 꾸었다고 했다. 그동안 길러 낸 영고인들이 빛나는 화관을 쓰고, 하얀 두루마기를 걸치고 자기 앞에 와 절을 했다고. 얼음처럼 빛나는 투명한 보석으로 장식한 가마를 자기 앞에 내리고 문을 열어 주었다고 한다.

"황천길 가는 관짝이지 뭐였겠어, 그게."

이사장은 그 대목에서 꼭 그렇게 말해서, 듣는 사람은 어색한 미소를 지어야만 했다. 아무튼 그 관짝 안으로 한 발 내디디려는 순간, 무언가 깨지는 소리에 눈을 번쩍 떴다고. 그 소리가 참 시원했다고. 생각해 보면 그 문젯덩어리 놈이

자기를 살렸다고. 누군가 탄식하며 무릎을 탁, 친다. 이사장님이 곧 영고이니, 그놈이 영고를 살린 셈이네요. 누군가의 아첨 섞인 맞장구에 이사장이 호탕하게 웃었다.

그런 애

조진주

단편 소설 「나무에 대하여」로 2017년 『현대문학』에서 신인 추천되며 작품 활동을 시작했다. 장편 소설 『살아남은 아이』, 소설집 『다시 나의 이름은』 등을 냈다.

카메라 앞에 선 솔희는 반짝반짝 빛이 난다. 색으로 표현하자면 싱그러운 연초록색. 혹은 한여름 태양을 좇는 해바라기의 노란색. 그런데 왜 이 사진들 속 솔희는 빛이 나지 않을까. 컴컴하고 음습하기만 할까. 예나는 절묘하게 크롭된 솔희의 사진을 몇 번이고 들여다보았다. 아무리 봐도 예나가 알지 못하는 여자 같았다.

아이들은 솔희를 더럽다고 했다. 누군가는 예나에게 은근히 물어 왔다. "너랑 친한 걔 있잖아, 원래 좀 그런 애야?" 예나는 그런 애가 어떤 애냐고 따져 묻고 싶었지만 그러지 못했다. 솔희는 어떤 애인가. 더럽고 이상한 애인가. 그럴지도 몰랐다. 누구나 그런 걸 찍어 올리지는 않으니까.

그건 비정상적인 일이니까. 그러니 솔희는 정말 '그런 애'인 건지, 함께해 온 지난 시간을 되짚어 보았다. 그리고 얼마 전, 솔희가 뜬금없이 던졌던 질문을 떠올렸다.

"지니의 구멍 말이야. 그냥 만들어 낸 말이겠지?"

'지니의 구멍'은 학교 뒤편에 있는 구덩이였다. 성인 두 명이 들어갈 수 있는 정도의 너비에 구멍 안쪽에는 시멘트가 발라져 있었고, 밑바닥으로부터 20센티미터가량 위쪽에 양옆으로 통하는 작은 통로가 마주 보고 나 있었다. 정확한 용도는 알 수 없었지만, 한때 하수가 흘렀던 곳이 아닐까 추측되었다. 아이들은 그곳에 소중한 물건을 던지고 소원을 빌면 이루어진다고 믿었다. 예나와 솔희는 그 소문을 두고 유치하다며 비웃곤 했었다. 그렇기에 소문의 진위를 따지는 솔희가 새삼스러웠었다.

"왜? 뭐 빌고 싶은 소원이라도 있어?"

"소원 없는 사람이 어딨냐?"

"뭘 빌고 싶은데?"

"비밀. 자꾸 말하고 다니면 기도발 떨어져."

그날 예나는 끝내 솔희의 소원을 듣지 못했다. 그래 봤자 좋은 역할에 캐스팅되고 싶다든가, 갖고 싶어 했던 고가의 카메라를 손에 넣게 해 달라는 소원쯤이겠거니 생각했다.

그때 솔희는 무엇을 빌고 싶었을까. 예나는 더 묻지 못한 것을 후회했다.

예나가 솔희의 사진들을 처음 본 것은 한 달 전쯤이었다. 둘은 주말마다 그래 왔듯 솔희의 집에서 영화를 본 뒤 수다를 떨고 있었다. 예나는 솔희와 함께하는 그 시간을 좋아했다. 실은 시시한 감상 평을 떠들어 대는 것뿐이었지만, 자신들이 마치 미래의 영화계를 이끌어 갈 유망주라도 된 것 같은 뿌듯함을 느꼈다.

대화 주제는 자연스레 영화 속 인물이 입은 옷에 대한 감상으로, 그리고 예나가 얼마 전 발견한 인터넷 쇼핑몰로 옮겨 갔다. 쇼핑몰은 가입 시 추천인을 입력하면 2,000포인트를 주는 이벤트 중이었다. 솔희가 화장실을 간 사이 예나는 솔희의 핸드폰으로 쇼핑몰에 접속해 자신의 아이디를 입력하려 했다. 그러다 실수로 솔희가 이전에 열었던 앱을 열었고 문제의 트위터 계정을 발견했다. 계정에 올라온 게시물들을 본 예나는 황급히 트위터 창을 닫았다. 일단은 아무것도 보지 못한 척하기로 했다.

집에 돌아온 예나는 트위터에 들어가 아까 본 계정의 아이디를 입력했다. 열세 개의 사진과 하나의 짧은 동영상 속 인물은 얼굴을 보여 주지 않았지만 예나는 그가 솔희라는 것을 알 수 있었다. 그 영상은 자신이 찍어 준 것이었으니까. 새로 산 미니스커트를 입고 귀여운 척 혹은 섹시한 척 이런저런 포즈를 취하며 장난처럼 찍은 것이었다. 그러나 원본과 달리 소리가 제거되고 앞뒤가 잘린 채 뽀얀 맨다리와 아슬아슬하게 펄럭이는 짧은 치마만 나오도록 편집된 영상은 한없이 외설적으로 보일 뿐이었다. 사진 속 여자가 입고 있는 옷과 뒤에 비치는 벽지도 낯익었다. 여자는 헐렁한 크롭 티에 짧은 돌핀 팬츠를 입고 야릇한 포즈를 취하고 있었다. 상의를 입지 않은 채 침대에 엎드리거나 셔츠만 입고 두 다리를 벽에 기대 올리고 있기도 했다. 분명 솔희의 몸이었다. 비쩍 마른 그 아이의 몸. 그렇지만 아무래도 자신이 아는 솔희와 트위터 속 여자를 나란히 둘 수 없었다.

예나는 솔희를 중학교 때부터 알아 왔다. 입학식 날, 첫 인사를 하며 십 년 뒤 자신은 유명한 배우가 되어 있을 거라고 말하던 솔희의 당찬 모습은 인상적이면서도 조금 부담스럽게 느껴졌다. 그래서인지 함께 어울려 놀면서도 3학년에 올라가 다시 같은 반이 될 때까지 속을 터놓고 지내지는 못했다.

예나가 솔희에 대해 다시 생각하게 된 계기는 미술 시간에 있었던 사건이었다. 그날은 인물화를 그리는 시간이어서 모델을 설 사람이 필요했다. 본인에게 남다른 매력이 있다고 생각하면 지원하라는 선생님의 농담에 아이들이 눈치를 보는 사이, 솔희가 번쩍 손을 들고 앞으로 나갔다. 평소 솔희를 고깝게 보아 왔던 몇몇 아이들은 수업이 끝난 뒤 지가 정말 예쁜 줄 안다고, 나댄다고, 솔희에 대한 험담을 나누었다. 솔희는 아이들의 날 선 말을 아무렇지 않게 웃어넘기는 듯했다. "마음대로 떠들어 대라지 뭐. 난 그림 안 그리고 점수 받으니 개꿀인데." 그러나 그다음 미술 시간, 그림을 그리기 위해 솔희를 관찰하던 예나는 솔희의 손을 보았다. 잡아 뜯은 손톱 가장자리에 붉은 피가 맺혀 있었다. 수업 전, 재차 본인의 상태를 확인받으려 하던 솔희의 행동이 떠올랐다. 너도 아무렇지 않은 건 아니구나. 그냥 최선을 다해 괜찮은 척하는 거였어. 그렇게 생각하자 그 애가 조금 다르게 보이기 시작했다.

그날 이후로 예나는 솔희를 유심히 들여다보았다. 솔희는 아침마다 매일 한 시간씩 달리기를 하고 등교할 만큼 부지런했다. 밥을 챙겨 주던 길고양이가 죽자 꼬박 일주일을 우는 아이였다. 무엇보다 자신의 매력을 잘 아는 만큼 다른 사람의 매력도 찾아낼 줄 알았다. 솔희는 예나의 좋은 점을 발견할 때마다 아낌없이 칭찬해 주곤 했다. 덕분에 예나는 자신이 주의 깊은 눈을 갖고 있으며 상대에게 믿음을 주는 사람이라는 것을 알게 되었다. 다른 애들은 솔희의 이런 면을 알지 못했다. 오직 예나만이 아는 모습이었고 그래서 더 좋았다. 어느새 두 사람은 단짝이 되었고, 고등학생이 된 지금까지 예나의 가장 친한 친구 자리는 솔희가 차지하고 있었다. 그런 솔희가 정말 이 트위터 속 여자와 동일 인물이라니, 쉽게 납득이 가지 않았다.

예나는 솔희가 달아 둔 생소한 해시태그를 검색해 보고 다른 사람들이 올린 수많은 영상과 사진을 보게 되었다. 평소 트위터를 잘 이용하지 않던 예나로서는 차마 상상하지 못한 세계였다. 그런데 정말 솔희가 그 게시물들을 올렸을까. 그런 걸 원해서 올릴 리 없잖아. 혹시 누군가에게 협박이라도 받고 있는 건 아닐까. 분명 피치 못할 사정이 있으리라고 생각했다.

"그냥 장난 같은 거야."

솔희는 그리 심각한 일이 아니라는 듯 말했다.

"장난? 그러니까 직접 올린 게 맞다고? 그 이상한 해시태그들은 왜 붙인 건데?"

"다이어트 자극용으로 올린 거야. 사람들이 보고 있다고 생각하면 더 긴장되니까. 해시태그는 그런 걸 붙여야 반응이 많으니까 붙인 거고."

"그래도 그렇지, 그런 걸 왜 올려? 누가 알아보면 어쩌려고?"

"야, 너만 말 안 하면 아무도 몰라. 그리고 나도 그만하려고 했어."

"진짜야? 이제 안 할 거야?"

"응. 안 해."

예나는 솔희의 답에 안도하면서도 맥이 풀렸다. 지난 며칠간 온갖 걱정에 잠까지 설쳤었다. 어쨌든 멋대로 폰을 들여다본 거니까 화를 낼지도 몰라. 부끄러운 비밀을 들켰으니 수치스러워하겠지. 이 일로 솔희와 멀어질까 봐 두렵기도 했다. 그렇다 해도 모른 척 넘어갈 일은 아닌 것 같아 용기를 낸 것이었다. 그런데 막상 대수롭지 않은 일이라는 듯 구는 태도를 보니 조금 화가 나기도 했다. 자신이 얼마나 마음 졸였는지 알기는 할까. 그래도 그만두겠다는 약속을 받아 냈으니 그걸로 됐다고 여겼다. 그러나 얼마 뒤, 자신이 그 일에 대해 너무 단순하게 생각했다는 것을 알았다.

낯부끄러운 사진들이 '2반 개'라는 호칭과 함께 돌아다녔다. 1교시 시작 전 누군가 퍼뜨린 소문은 은밀하면서도 빠르게 옮겨 가, 점심시간이 끝나갈 무렵 예나에게도 전해졌다.

"이거 진짜 네 친구 맞아?"

같은 반 친구 연지가 아이들 사이에 도는 사진을 보여 주며 물어 왔다. 예나도 처음 보는 것들이었다. 노출이 심한 옷을 입은 여자나 아예 헐벗은 여자의 몸이 찍힌 사진, 심지어 은밀한 곳을 적나라하게 내비치는 사진까지. 그중 일부는 솔희처럼 보였지만, 어떤 사진들은 분명 솔희가 아니었다.

"넌 이거 누구한테 받았어?"

"딴 반 애한테. 근데 애들 거의 다 봤을걸."

"이게 걘 건 어떻게 알아? 얼굴도 잘 안 나왔는데."

"몰라, 그렇다는데."

"물어봐."

"응?"

"이 사진 준 애한테 물어보라고. 이게 왜 개인지."

연지는 왜 자기한테 뭐라고 하느냐며 짜증이 난 얼굴로 돌아섰다. 그리고 수업이 끝난 뒤 다시 예나의 자리로 와 알아낸 정보를 말해 주었다.

"걔랑 연기 학원 같이 다니는 애가 트위터에서 찾았대. 학원에서 같은 옷을 입고 찍은 영상도 있다던데?"

"갠 그 사진들을 어떻게 찾아냈대?"

"그것까지 내가 어떻게 알아?"

이 사진을 찾은 애는 어떻게 사진 속 인물이 솔희라는 걸 확신했지. 아니, 애초에 왜 그런 사진들을 검색하고 있던 거지. 예나가 갈피를 못 잡는 사이 소문은 점점 살이 붙었고, 솔희가 아닌 이의 몸까지도 모두 솔희의 것이 되어 가고 있었다. 사실을 바로잡고 싶었지만 무엇을 어떻게 반박해야 할지 알 수 없었다.

종례 후, 예나는 솔희의 반 앞으로 찾아갔다. 그러나 솔희는 배가 아프다며 5교시 시작 전에 조퇴를 했다고 했다. 전화도 받지 않았다. 예나는 솔희에게 계속 메시지를 보냈다. '어떻게 된 거야? 많이 아파?', '정말 아픈 거야?', '그 사진들 뭐야? 그만한다고 했잖아.', '야, 전화 좀 받아.', '혹시 이상한 생각 하는 건 아니지?', '부탁이니 연락 좀 줘.'

아이들은 솔희가 충분히 그런 짓을 할 만한 애라고 했다. 배우라는 꿈도 다 겉멋이라고, 혹은 이미 스폰서라도 물은 것 아니냐고 멋대로 떠들어 댔다. 솔희가 정말 그런 짓을 할 만한 아이였는지는 알 수 없었다. 예나가 모르는 솔희의 모습이 더 있을지도 모르니까. 그러나 그 애의 꿈이 그렇게 가벼운 건 아니라고 확신할 수 있었다. 처음 만났을 때부터 지금까지 솔희는 한 번도 꿈을 바꾼 적이 없었고, 그 꿈을 이루기 위해 최선을 다했다. 연기를 하고 있노라면 제 안에 수많은 사람을 품고 있는 기분이라고 했다. 그만큼 자신의 세상이 더 넓어지는 것 같다고 말하는 진지한 얼굴을 보며 예나는 그 애가 꼭 배우가 될 거라고 믿었다.

솔희가 부모님의 반대를 꺾고 마침내 연기 아카데미에 등록했을 땐 멋있다고 생각하면서도 초조해졌다. 목표를 향해 차근차근 나아가는 솔희에 비하면 자신은 너무 초라하게 느껴졌다. 조급해하는 예나에게 답을 알려 준 것 또한 솔희였다.

"이 동그란 구멍 앞에 서 있으면 무엇이든 될 수 있을 것 같아. 막 두근거려."

솔희가 가리킨 것은 카메라 렌즈였다. 그 말에 예나도 카메라 앞에 서 보았지만 솔희가 말하는 두근거림은 느껴지지 않았다. 그보다는 그 구멍을 통해 솔희를 지켜보는 것이 좋았다. 어느새 다른 사람이 된 솔희를 보고 있노라면 새로운 세상에 착륙한 것 같았고, 그 세계를 탐색하는 과정이 마음을 간질였다. 결국 예나는 용돈을 모아 적당한 가격대의 중고 카메라를 구매했다. 좀 더 제대로 찍어 보고 싶었다. 오컬트 마니아인 솔희는 공포 영화의 장면들을 자주 연기해 보이곤 했다. 솔희가 겁에 질린 표정을 지을 때면 예나는 저도 모르게 카메라를 내려놓고 그 애를 구해 주고 싶었다. 한편으로는 그 처연한 모습을 끝까지 밀어붙이고 싶어지기도 했다. 언젠가는 그 마음을 영상 안에 완벽하게 담아낼 수 있을까.

단짝이자 예나의 스타인 솔희. 새로운 꿈을 꾸게 해 준 솔희. 예나가 아는 솔희는 그런 애였다. 그런데 왜 사람들은 내가 모르는 너에 대해서만 이야기할까. 겁쟁이 솔희, 귀여운 솔희, 심술궂은 솔희, 도도한 솔희. 이처럼 다양한 말로 설명할 수 있는데 다들 네게 빤한 수식어를 덧붙일까.

솔희는 다이어트를 위해 그런 짓을 했다고 했다. 이미 충분히 마른 몸을 갖고 있으면서도 만족하지 못하는 듯 굴었고, 학원에 자기보다 잘난 애들이 한가득이라며 투덜거리곤 했다.

“선생님이 맨날 나한테만 뭐라고 해. 연기가 고만고만하면 몸매라도 예뻐야 하는데 지금은 봐줄 만한 게 없대.”

그러고는 ‘개말라 인간’이라고 칭해지는, 뼈가 드러난 여자애들의 사진을 보며 부러워했다. '프로아나'니 뭐니 하는 말을 늘어놓으며 하굣길에 사 먹던 간식은 끊은 지 오래였고 급식도 거르기 일쑤였다. 지나치게 걱정하는 것 아니냐는 예나의 말에는 모르는 소리 말라며 짜증을 내기도 했다. 매 수업 시작 전 수강생들을 체중계에 오르게 한다는 것이었다. 배가 너무 고파 에너지바를 먹고 자는 바람에 몸무게가 0.5킬로그램이 늘었던 날, 학원 선생은 솔희의 몸무게 표를 학원 문에 붙여 놓았다고 했다.

"0.5라는 숫자가 얼마나 징그럽게 보였는지 알아? 사과 하나에 250그램 정도래. 내 몸에 사과 두 개가 더 들어가 있는 거야."

그 말을 들은 뒤 예나는 한동안 사과를 먹을 때마다 제 옆구리에 사과가 주렁주렁 열리는 상상을 했다.

언제나 자신감이 넘치던 솔희가 자신의 모습을 깎아내리는 게 낯설었다. 그때 좀 더 솔희의 상태를 살폈어야 했나. 예나라고 아무것도 하지 않은 건 아니었다. 솔희로부터 트위터를 그만두겠다는 약속을 받아 낸 뒤로도 문제의 계정을 주시했고, 계정이 삭제된 것까지 확인했다. 그 일에 대해 더 묻지 않았던 것은 불편해할 솔희를 생각해서였다. 그런데 그건 정말 배려였던가. 다 해결되었다고 믿고 싶었던 것은 아닐까. 그래서 솔희가 나를 못 미더워한 걸까.

하지만 끝까지 거짓말을 한 건 솔희였다. 그만둔다고 했으면서 다른 계정까지 파서 사진을 올린 걸 보면 작정하고 숨길 생각이었던 듯했다. 그러면서 그동안 어떻게 아무렇지 않게 굴었던 거지.

자정에 가까운 시각이 되어서야 마침내 솔희에게 답이 왔다.

—야, 그만 좀 보내.

예나는 얼른 전화를 걸었고 이번에는 통화가 연결되었다.

"너 진짜 아파?"

"이미 다 알면서 왜 모르는 척이야."

"어떻게 된 거야?"

"별거 아니니까 신경 쓰지 마."

"이제 안 한다고 그랬잖아."

"네 말 안 듣다 꼴좋게 됐다, 그 말 하려고 전화했어?"

"무슨 말을 그렇게 해? 걱정돼서 전화한 거야."

"괜찮아. 신경 쓰지 않아도 돼."

"어떻게 신경을 안 써? 애들이 자꾸 이상한 소리를 해 대잖아. 너 그런 애 아닌데."

"내가 그런 애인지 아닌지 네가 어떻게 알아? 아무것도 모르면서 아는 척 좀 하지 마. 넌 그게 문제야."

"야, 이솔희! 뭔 말을 그렇게 하냐?"

"나 기운 없어. 끊어."

전화가 끊어진 뒤에도 예나는 한동안 전화기를 든 채 앉아 있었다. 왜 나한테 화를 내? 지금까지 자기 걱정만 하고 있었는데. 돌이켜 보면 솔희는 좀 제멋대로인 구석이 있었다. 그러니까 그런 사진도 아무렇지 않게 찍어 올리는 걸까. 하지만 솔희의 그런 성격과 이번 일은 상관이 없다는 걸 예나도 알고 있었다. 울컥한 마음이 가라앉자 좀 전의 통화에서 미처 하지 못했던 말들이 후회되었다.

그날 밤, 한참을 뒤척이던 예나는 즐겨 찾는 인터넷 커뮤니티에 글을 올렸다. '트위터에 제 몸 사진 올리는 여자들 어떻게 생각해?' 잠시 뒤 수십 개의 댓글이 달렸다. '미친 거지.', '대체 왜 그러는 건지 이해할 수 없음.', '여자 인권 떨어트리는 짓이야.' 모두 맞는 말이었는데 개운한 기분은 들지 않았다.

다음 날, 솔희는 학교에 나오지 않았다. 급성 위염 때문이라고 했지만 아무도 믿지 않는 눈치였다. 어떤 아이들은 솔희가 좋지 않은 시도라도 한 게 아니냐며 떠들어 댔는데 아무것도 모르면서 지껄이는 말이었다. 무리한 단식을 강행한 탓에 최근 솔희의 건강 상태는 엉망이었다. 그러나 사흘 뒤, 솔희가 다시 학교에 나왔을 때, 어쩌면 아무것도 모르는 쪽은 자신일지도 모른다는 생각이 들었다.

예나는 솔희의 반 앞을 오가며 교실 안을 흘끗흘끗 살폈다. 그때마다 솔희는 혼자 책상에 앉아 노트나 교과서 따위를 들여다보고 있었다. 주변 상황 따위 신경 쓰지 않는다는 듯 굴고 있었지만, 분명 그렇지 못할 것이었다. 예나는 지금껏 솔희가 쉬는 시간에 교과서를 펼치는 걸 본 적이 없었다. 들어가 말을 걸어 볼까 고민하다가 결국 그대로 발길을 돌렸다. 사흘 전 통화를 끝으로 계속 연락을 받지 않는 솔희가 이번에도 자신을 피하려 할 것만 같아 선뜻 다가갈 마음이 들지 않았다.

마지막 교시를 남겨 두었을 때였다. 수업 시작종이 울렸는데 복도에서 시끄러운 소리가 들려왔다. 예나가 아이들을 따라 복도로 나가 보니 솔희와 한 남자애가 대치 중이었다. 남자애는 큰소리를 치며 당장이라도 달려들 듯 솔희를 위협했고 그의 친구로 보이는 아이 둘이 그를 말리고 있었다. 반면 솔희는 성난 얼굴로 남자애를 노려볼 뿐이었다.

주변에서 수군거리는 말로 추측해 보니 솔희가 그 남자애의 뺨을 때린 모양이었다. 그때, 누군가 선생님이 온다고 외치자 복도를 감싸고 있던 팽팽한 긴장감이 순식간에 사라졌다. 아이들이 하나둘 흩어지는 가운데 솔희와 예나의 눈이 마주쳤다. 잠시 예나를 바라보던 솔희는 곧 고개를 돌리고 교실 안으로 들어가 버렸다. 예나는 수업 시간 내내 자신을 응시하던 솔희의 눈을 떠올렸다. 화가 난 걸까. 서운해하고 있는 건가. 왜 나한테 그러느냐고 따지고 싶다가도 아이들의 흥미 어린 시선 가운데 홀로 서 있던 솔희를 생각하면 마음이 복잡해졌다.

집에 돌아온 예나는 학원 숙제도 미뤄 두고 계속 영화만 봤다. 어려운 영화는 눈에 들어오지 않아 일부러 가벼운 오락물 위주로 골랐지만, 흥행을 거두었다는 영화도 재미가 없었다. 영화 속에서는 여자들이 자꾸 죽어 나갔다. 연쇄살인마에게 한 여자가 이유 없이 죽임을 당했고, 또 다른 여자가 쫓겼다. 강간당하는 여자가 앵글에 잡혔다. 목 졸리는 여자의 얼굴과 몸이 클로즈업되었다. 쌓여 가는 여자들의 시체, 마네킹 같은 몸뚱어리. 예나는 언젠가 시체 1을 연기하게 될지도 모를 솔희를 떠올렸다.

지난 여름 방학에 솔희와 예나는 오 분짜리 단편 영화를 찍었다. 우울증과 무기력증으로 누워만 있던 여자가 바람이 되는 꿈을 꾸는 내용이었다. 무언가를 옮기는 힘이 있는 바람은 꽃씨를 퍼뜨리고, 비구름을 움직이고, 태풍을 일으켜 모든 걸 쓸어 버리기도 했다. 한바탕 꿈을 꾸고 난 뒤, 여자는 마침내 자리에서 일어났다. 촬영 전, 예나는 가녀린 몸매의 솔희가 하늘하늘한 바람의 이미지에 어울린다고 생각했다. 그러나 솔희는 산들바람이 아닌 센바람이었다. 움직임이 거침없었고 에너지로 가득 차 있었다. 촬영을 마친 뒤, 솔희가 말했다.

"진짜 바람이 되면 좋겠다."

"해가 되는 게 낫지 않아? 바람은 해를 이기지 못하잖아."

"왜?"

"해랑 바람이랑 나그네 옷 벗기는 내기 하는 이야기 몰라?"

"꼭 옷을 벗겨야 해? 난 더 입혀 줄 거야. 포근하게."

솔희는 여전히 바람이 되고 싶어 할까. 바람이 된 솔희와 시체가 된 솔희가 번갈아 눈앞에 그려졌다. 그 애에게 대체 무슨 일이 벌어지고 있는 걸까. 문득 끝내 듣지 못한 솔희의 소원이 떠올랐다. 비밀이라던 소원은 무엇이었는지, 정말 그 소원을 빌기 위해 지니의 구멍을 찾았을지 궁금했다.

이튿날 방과 후, 예나는 아이들의 눈을 피해 학교 뒤편으로 향했다. 구덩이를 덮고 있는 나무판자를 치우고, 그 앞에 쪼그려 앉아 안을 들여다보았다.

선물을 바치면 소원을 들어준다는 이야기는 귀여운 장난처럼 들렸지만, 그에 얽힌 전설은 잔인했다. 그것은 오래전, 만년 무명이었지만 가수의 꿈을 포기할 수 없던 한 여자에 관한 이야기였다. 돈이 없어 연습실을 빌리지 못하던 여자는 밤마다 학교 뒤편 공터에서 노래 연습을 했다. 매일 밤 울려 퍼지는 노랫소리에 여자의 상황이 주변에 조금씩 알려진 모양이었다, 어느 날, 몇몇 남자들이 공터를 찾아와 여자를 위협했고, 그들을 피해 달아나던 여자는 미처 발밑의 구멍을 보지 못하고 추락하고 말았다. 끝내 구멍을 빠져나오지 못한 채 목숨을 잃은 여자는 맺힌 한 때문에 그 자리를 떠나지 못하고 있다고 했다.

억울하게 죽은 여자가 왜 아이들의 소원을 들어준다는 건지 예나로서는 이해할 수 없었지만, 생각보다 많은 아이들이 구멍 안에 무언가를 던지곤 했다. 대개 장난삼아 떨어뜨린 듯한 동전이나 자잘한 소품 따위였는데 가끔 제법 값이 나가 보이는 물건도 보였다. 재작년에 반에서 10등 안에도 못 들던 선배가 구멍에 소원을 빌고 서울 중위권 대학에 합격했다는 이야기나, 1반의 고승우가 오디션 프로그램의 결승까지 올라간 것도 구멍 덕분이라는 소문 따위가 아이들에게 혹시나 하는 마음을 품게 하는 모양이었다.

예나는 핸드폰 플래시를 켜 구멍 안쪽을 비추어 보았다. 아래에 쌓인 물건들 때문에 정확한 깊이가 가늠되지는 않았지만, 키가 큰 사람이라면 뻗은 손끝이 입구에 닿을 수 있을 듯했다. 그러나 예나나 솔희의 신장으로는 어림도 없을 것이었다. 전설 속 여자의 키는 어느 정도였을까. 잡동사니들이 너저분하게 널려 있는 구덩이는 마치 커다란 쓰레기통처럼 보였다. 인형, 캐릭터 펜, 링 모양의 귀걸이, 낡은 동전 지갑, 무엇이 들어 있는지 알 수 없는 작은 상자……. 그 가운데 스파이더맨 모양의 USB가 예나의 눈길을 끌었다. 예나가 솔희에게 선물했던 것과 같은 모델이었다. 정말 솔희의 것이라면 그 안에는 두 사람이 함께 만든 영화가 담겨 있을 것이었다. 꺼내어 확인해 보고 싶었지만 이리저리 손을 휘저어도 잡히는 것은 어둠뿐이었다. 서늘한 공기가 예나의 손을 타고 올라왔다. 갑자기 구멍 아래에서 무언가가 제 손을 끌어당길 것만 같은 생각이 들었다. 예나는 황급히 뒤로 물러서며 차가워진 손을 셔츠에 문질렀다.

그냥 구멍일 뿐인데, 사람들은 그 이상의 것을 기대했다. 그 너머에 자신이 욕망하는 무언가가 있기를 바랐다. 그래서 토끼를 쫓던 앨리스도, 판의 미로를 헤매던 오필리아도, 버드나무 아래 도착한 해리 포터도 그 안에 들어갔겠지. 예나는 구덩이 속으로 뛰어드는 솔희를 그려 보았다. 그곳에서 솔희는 무엇을 만날 수 있을까.

어느덧 해가 기울고 있었다. 사뭇 어두워진 하늘을 올려다보던 예나는 문득 궁금해졌다. 소중한 것을 버려야 소원이 잘 이루어진다던데, 저 USB를 버렸다는 건 그만큼 그것이 솔희에게 중요하다는 뜻일까, 이미 버렸으니 더는 중요하지 않아진 걸까. 감쪽같이 거짓말을 해 놓고 도리어 화를 내는 솔희를 어떻게 해야 하나. 만약 지금 솔희의 손을 놓아 버린다면 나는 아무렇지 않을 수 있을까. 결국에는 다른 애들과 함께 그 애를 손가락질하게 될까.

어젯밤에도 예나는 트위터에 들어갔었다. 성을 전시하는 해시태그 종류는 다양했고, 게시물은 끝이 없었다. 솔희의 계정은 사라졌지만, 솔희가 올린 것보다 더 노골적인 영상과 사진이 아직 그곳에 있었다. 그것들을 계속 들여다보고 있노라면 어느 순간부터는 역겨움조차 느껴지지 않았다. 그저 인간이 온통 생식기로 이루어진 살덩이처럼 느껴질 뿐이었다. 예나는 부계정을 파고 트윗을 올려 보았다. '고등학생이고 노출 좋아해요.' 곧 마음이 찍히는 횟수가 빠르게 올라갔다. 그날 밤, 예나는 수십 개의 메시지를 받았다. 알지 못하는 사람들이 예나를 향해 자신의 욕망을 발설했다. 스스로 구멍에 들어간 것은 예나이니, 예나가 모든 것을 감수해야 한다는 듯이.

지니의 구멍에는 여러 규칙이 존재했다. 누군가를 해하는 소원을 빌면 그 화가 자신에게 돌아온다. 지나치게 허황된 소원도 화를 부른다. 소원이 구멍 속 여자의 마음에 들지 않으면 그 소원을 빈 사람은 여자가 느꼈던 고통을 느끼게 된다……. 자질구레한 세부 사항들은 아이들의 입에서 입으로 전해질 때마다 하나씩 덧붙여졌을 거다. 그럼 솔희는 무엇을 빌었기에 이런 일을 겪고 있나. 어젯밤 자신에게 메시지를 보내던 사람들이 바라던 것보다 더 잘못된 것이었나. 예나는 구멍 아래를 향해 제 몸을 기울이고 소리쳤다.

내가 뭘 어떻게 해야 해?

무엇이 옳고 그른지는 몰라도 그냥 솔희가 아프지 않기를 바랄 뿐이었다. 예전처럼 솔희와 웃고 떠들고 싶었다.

그것이 예나의 소원이었다. 구멍 아래에서 찬바람이 올라왔다. 원념과 소원의 무덤을 내려다보던 예나는 선뜻한 기운에 양팔을 쓸어내렸다. 그러고는 결연한 얼굴로 자리에서 일어났다.

예나는 솔희에게 메시지를 남기고 무작정 그의 집 앞으로 갔다.

— 지금 너희 집 앞이야. 나올 때까지 기다릴 거니까 나 길바닥에서 밤새우는 거 보고 싶지 않으면 나와.

메시지 옆 숫자는 사라졌지만 답은 없었다. 예나는 근처 벤치에 앉아 초조한 마음으로 연락을 기다렸다. 솔희가 끝내 자신을 밀어낸다면 어떻게 해야 할지 막막했다.

다행히 솔희는 이십 분쯤 뒤 예나 앞에 나타났다. 나란히 앉은 두 사람 사이에 한참 동안 침묵이 이어졌다. 어떻게 말을 시작해야 할지 고민하던 예나는 가방에서 카메라를 꺼내 솔희를 향해 렌즈를 들이밀었다. 얼굴을 찌푸린 솔희가 그제야 입을 열었다.

"뭐 해?"

"카메라 앞에 서면 다른 사람이 될 수 있다며. 지금부터 나 보지 말고 이 카메라만 보고 말해 봐. 녹화는 안 할 거니까 걱정 말고."

"뭘 말해?"

"아무거나. 하고 싶은 말."

"됐어. 그거 치워."

예나는 카메라를 내리지 않았다. 그 앞에서 솔희는 고개를 숙이고 제 발끝만 내려다볼 뿐이었다. 기다리다 못한 예나가 결국 먼저 말을 꺼냈다.

"어제 걔랑은 왜 싸운 거야?"

"몰라. 시끄럽게 굴기에 짜증 나서 때렸어."

솔희는 별일 아니라는 듯 말했지만, 그 남자애가 솔희에게 어떤 모욕을 주었을지는 예상 가능했다. 애들이 솔희 뒤에서 뭐라고 쑥덕이는지 예나도 알고 있었다. 그러나 솔희가 더는 그 일에 대해 말하고 싶지 않아 하는 듯 보여 화제를 바꾸기로 했다.

"나 지니의 구멍에 갔었어. 근데 거기 네 USB랑 똑같은 게 떨어져 있더라."

솔희는 대답 대신 몹시 원망스럽다는 얼굴로 예나를 바라보았다.

"야, 근데 넌 왜 자꾸 그런 표정으로 날 봐?"

"……쪽팔리니까."

"뭐가? 그런 사진 올린 거? 나한테 거짓말한 거? 아니면 괜히 화풀이한 거?"

"다 쪽팔려. 네가 그 USB를 본 것까지 다. 넌 왜 나를 이렇게 쪽팔리게 만들어?"

"아니, 내가 뭘 어쨌다고……. 그냥 모른 척할까? 너한테 무슨 일이 일어나든 상관하지 마? 그게 정말 네가 원하는 거야?"

예나는 카메라의 라이브 뷰 화면을 통해 솔희를 바라보았다. 화면에 비친 솔희는 울상을 짓고 있어도 여전히 매력적이었다. 그런 예나의 마음을 눈치라도 챈 듯 솔희가 물었다.

"내가 정말 예뻐?"

"응?"

"네가 그랬잖아. 내가 카메라 앞에서 빛난다고."

"그랬지. 근데 그게 왜?"

"너만 그렇게 말해 줬단 말이야."

"무슨 말인지 모르겠으니까 좀 알기 쉽게 말해 봐."

길게 한숨을 내쉰 솔희는 조금 뜸을 들이다 말을 이었다.

"학원에 가면 난 아무것도 아니야. 잘난 애들은 너무 많으니까. 선생님은 매일 내 몸에서 부족한 점을 찾아내. 그럴 때마다 난 내가 마네킹이나 고깃덩이가 된 거 같아."

"다른 애들한테도 그래? 근데도 다들 가만히 있어?"

"학원에서 연결해 주는 오디션 기회를 얻으려면 평가 점수를 잘 받아야 하니까. 암튼 나보고 얼굴에 색기는 있는데 그걸 표현해 내는 게 부족하대. 좀 더 홀릴 줄 알아야 한대. 근데 순수하면서도 섹시해 보여야 한다는 건 대체 뭔 개소리냐?"

"미친 거 아냐? 거기 말고 학원 없어? 다른 데 알아봐. 원래 그런 데는 다 그런 거야?"

"다 그렇진 않겠지. 아니, 다 그런가? 사실 잘 모르겠어. 근데 거기가 이 근처에선 제일 유명한 데란 말이야. 암튼 대체 그 홀리는 게 뭔지 모르겠어서 그런 사진을 찍어 봤거든. 그런데 사진을 올리니까 관심이 쏟아지더라. 다들 예쁘다고 하더라. 그게 좋은 말이 아니란 걸 알면서도 듣고 싶었어. 내 몸을 칭찬하면 기분이 더러우면서도 한편으로는 짜릿했어."

"아무리 그래도 그렇지. 정말 그런 이유가 다야?"

"그럼 또 뭔 이유가 있는데? 내가 더러워서? 밝혀서? 맞아. 나 그런 거 좋아해. 됐어?"

"아니, 그게 아니고……."

"알아. 나 미친년인 거. 어차피 넌 죽었다 깨어나도 날 이해 못 할 거잖아. 넌 원래 바른 애니까. 개념 있고 똑똑하니까. 솔직히 나 같은 애랑 더는 엮이고 싶지 않다고 생각했지?"

"야! 너 자꾸 그런 식으로 말할래?"

"너 그동안 나한테 한 번도 말 안 걸었잖아. 교실 밖에서 나 혼자 있는 거 구경하고 갔잖아."

"네가 나 필요 없다며? 먼저 피한 게 누군데?"

예나는 억울한 마음에 목소리를 높였다. 그러나 그 말이 틀렸다고 할 수는 없었다. 예나는 솔희의 행동을 완전히 이해할 수 없었고 앞으로도 그럴 것이다. 다만 솔희가 지금 깊은 어둠 속에 갇혀 있다는 건 알 수 있었다. 솔희를 그 안에 버려두고 싶지는 않았다. 끄집어내 함께 달아나고 싶었다.

"미안. 이런 말 하려던 게 아니었는데. 요즘 아무 말이나 불쑥불쑥 튀어나와. 나도 내가 왜 이러는지 모르겠어. 나 망한 거겠지? 나중에 배우가 돼도 누가 소문내면 끝이잖아."

"아니라고 잡아떼면 되지. 얼굴도 제대로 안 나왔는데 어떻게 알아."

"근데 그 사진들, 대부분은 나 아냐."

"알아."

"근데 또 일부는 맞으니까. 이건 내가 맞고 이건 내가 아니고 하면서 구별하는 것도 웃기잖아."

"그래도 아닌 건 아닌 거지."

"내 몸이야. 내 몸이라고! 근데 왜 다들 내 거 갖고 난리지? 언제는 좋다 했다가, 언제는 욕하다가! 왜 지랄들인데!"

솔희가 고개를 흔들며 두 손으로 제 머리를 헝클어뜨렸다. 예나는 카메라를 내려 두고 조심스레 솔희의 상태를 살폈다.

"야, 괜찮아?"

"……아니, 안 괜찮아. 나 사실 무서워."

예나는 살며시 솔희의 팔목을 잡았다. 어느덧 서쪽 하늘 끄트머리에 걸려 있던 붉은빛도 사라져 가고 있었다. 예나는 맞은편에 서 있는 단풍나무의 가지가 조금씩 흔들리는 것을 보며 가지 사이를 통과하는 바람의 모습을 상상했다. 그리고 바람을 연기하던 솔희가 얼마나 멋있었는지 말해 주었다. 가만히 이야기를 듣던 솔희가 중얼거리듯 말했다.

"나 지금 거기 갈래. 지니의 구멍."

"거긴 왜?"

"USB 주워 오려고."

"그걸 어떻게 주워? 똑같은 거 여기저기서 팔아. 안에 든 영상도 클라우드에 올려놨어."

"아냐. 그걸 주워 와야겠어. 아무래도 소원을 잘못 빈 것 같단 말이야."

"진짜로 지금 거길 가겠다고? 해 져서 아무것도 안 보일 텐데? 대체 뭘 빌었기에 그래?"

"모든 사람들이 좋아할 만한 매력적인 사람이 되고 싶다고."

"너 지금도 충분히 매력 있다니까."

"말도 안 되는 소원이어서 벌받나 봐. 취소하고 다시 빌고 싶어."

"뭘 또 빌겠다는 건데?"

솔희는 대답 대신 자리에서 벌떡 일어났다. 여전히 제멋대로였다. 그렇지만 그런 솔희의 모습이 그리웠던 예나는 말없이 뒤를 따랐다.

솔희와 교대한 예나가 구멍 아래를 내려다보았다. 솔희는 핸드폰 불빛으로 구멍 안을 비춰 주었다. 그러나 상반신을 구멍 안으로 들이밀면 그림자가 지는 바람에 바닥이 잘 보이지 않았다. 예나는 USB를 찾아 바닥을 잠시 노려보다가 제 손에 들린 도구를 있는 힘껏 아래로 내려보냈다. 도구라고 해 봤자 문구점에서 사 온 작은 쓰레받기와 휴대용 깃대를 연결한 것이었다. 쓰레받기는 아슬아슬하게 USB에 닿지 않았다. 구멍 아래에서 올라오는 퀴퀴한 냄새에 숨이 막혀 왔다. 용도 폐기되어 방치된 시설물일 뿐인 이곳에 솔희는 제 소원을 빌었다. 예나가 고개를 들자 솔희가 한숨을 내쉬며 말했다.

"아무래도 안 되겠지? 더 긴 봉을 샀어야 했는데."

"이거보다 더 긴 게 없었잖아."

두 사람은 쪼그리고 앉아 구멍 아래를 바라보았다. 예나는 아까 답을 듣지 못한 질문을 다시 던졌다.

"소원 취소하면 이번엔 뭘 빌고 싶어?"

"……내가 날 좀 좋아하게 해 달라고."

무엇을 할 수 있을까. 대체 어떻게 해야 솔희가 예전의 당당했던 모습을 되찾을 수 있을까. 예나가 고민하는 사이, 솔희가 다시 입을 열었다.

"근데 이 구멍 속 여자 말이야. 많이 외로웠을까? 그러니까 우리 같은 애들 소원이나 들어주고 있겠지?"

솔희의 말에 예나는 구멍에 얽힌 전설을 떠올렸다. 이 어둡고 좁은 곳에 갇혀 아이들이 찾아오기만을 기다리고 있는 여자를. 그런데 왜 지금껏 아무도 그 여자를 꺼내 주려 하지 않았지? 왜 이런 곳에 가둬 두고 소원이나 빌고 있는 거지? 구멍 아래쪽에서 희미하게 웅웅거리는 소리가 들려왔다. 바람이 통과하며 울리는 소리 같기도 했고, 누군가의 말소리 같기도 했다. 손에 들린 깃대를 휘젓던 예나는 문득 떠오른 생각을 말했다.

"야, 우리 이거 다 태워 버릴까?"

"뭐?"

"이제 그만하라고. 잔인하잖아. 기껏 기다리는 게 소원이나 빌려는 애들뿐이라는 게."

"성불, 뭐 그런 건가?"

"그런 셈이지? 성불하는 김에 네가 잘못 빈 소원도 잊어버리라고."

예나는 구멍에 갇힌 여자를 꺼내 주고 싶었다. 더는 누군가의 욕망을 받아 내는 쓰레기통으로 지내지 않도록. 연기가 되어 바람결에 자유로이 날아갈 수 있도록.

잠시 뒤, 두 사람은 문구점에서 향초용 라이터를 구해 지니의 구멍 앞으로 돌아왔다. 예나가 잘게 찢은 종잇조각에 불을 붙여 그것을 구덩이 아래로 떨어뜨리자, 가만히 지켜보던 솔희도 곧 따라 했다. 불이 쉽게 붙지 않아 같은 일을 몇 번 더 반복해야 했다. 예나는 불씨를 던져 넣으며 예전에 보았던 영화 속 한 장면을 떠올렸다. 검은 옷을 입은 여자들이 주문을 외우며 모닥불 주변을 빙글빙글 도는 장면이었다.

구멍 아래에서 무언가가 폭발하는 소리와 함께 매캐한 연기가 올라왔다. 예나는 서서히 오르기 시작하는 불길을 보며 중얼거렸다.

"넌 꼭 배우가 될 거야. 내가 계속 너 찍을 거니까. 그러니까 넌 앞으로 내 카메라에다 소원을 빌어."

"너 나 레드 카펫 세워 줄 자신 있어?"

예나는 피식 웃으며 고개를 끄덕였다. 그리고 솔희의 손을 잡았다. 따뜻하고 부드러웠다.

"애들은 알까? 진짜 또라이는 내가 아니라 신예나 너라는 걸."

"너만 알고 있어."

네가 정말 어떤 앤지 나만 알고 있듯이. 예나는 불빛에 반짝이는 솔희의 눈을 보며 지니의 구멍에 마지막 소원을 빌었다. 더 이상의 구멍은 생겨나지 않기를. 불길 아래에서 허밍 같은 바람 소리가 들려왔다.

하수구 아이

나푸름

단편 소설 「로드킬」로 2014년 『경향신문』 신춘문예에 당선하며 작품 활동을 시작했다. 소설집 『아직 살아 있습니다』, 『바디픽션』(공저) 등을 냈다.

초등학교 5학년 때 같은 반 여자아이에게 고약한 별명이 붙은 적 있다. 바로 앞에서 그렇게 부른 적은 없지만, 그 애에 대해 뒷말을 할 때면 으레 이름 대신 하수구,라는 명칭이 쓰였다. 그건 누군가가 퍼트린 소문에서 비롯됐는데, 그 애가 학교 후문 근처에 있는 하수구 안으로 들어가는 장면을 보았다는 것이었다.

아이들은 그곳이 그 애의 집이라고 말했다.

말이 되지 않았고 퍽 잔인하기까지 했지만, 아이들은 그 소문을 재밌어했다. 그리고 소문이 시들해질 정도로 시간이 흐른 어느 날, 그 애가 사라졌다.

그 뒤로 초등학교를 졸업할 때까지, 종종 그 애를 떠올렸다. 이름이나 얼굴은 쉽게 잊었지만 후문 앞의 하수구가 눈에 들어오면 자연스레 그 애에게 생각이 미쳤다. 그곳을 충분히 바라보고 나면 어느 순간 그 아이의 작고 창백한 손이 하수구 위에 올려진 무거운 고무 덮개를 밀어 내고 밖으로 뻗어 나와 나에게 손짓했다. 그렇게 떠올린 아이의 손짓은 다급하지도 절박하지도 않아 오히려 기이한 느낌이었다.

*

다시 그 애를 떠올린 건 고등학교 1학년 때였다. 같은 반에 여러 커뮤니티 사이트의 괴담 판을 꿰고 있는 아이가 있었다. 친구는 실제로 일어난 기괴한 사건이나 도시 전설을 솜씨 좋게 편집하여 들려주곤 해서 반 아이들 사이에서는 피디라 불렸다. 그날 피디는 커뮤니티를 돌아다니다 근처 초등학교에서 일어난 괴담을 발견했다고 했다. 글에는 지역명만 쓰여 있고 어느 초등학교인지 명시되지 않았는데 피디는 짐작이 가는 학교가 있다며 바람을 잡았다. 해당 초등학교 졸업생의 경험담으로 이루어진 글은 학교 후문 앞에 있는 하수구에 관한 것이었다. 당시 초등학생이었던 작성자는 비 오는 밤, 그 앞을 지나가다 하수구에서 무언가를 보았다고 했다. 피디는 점심을 먹고 교실로 돌아온 반 아이들을 모아 글을 읽어 주었다.

초등학교 후문에 있는 하수구는 구멍의 간격이 넓어 평소에는 두꺼운 고무 덮개로 막아 놓았다가, 비가 오면 덮개를 치워 빗물받이로 사용했어. 그 장면을 본 날도 비가 오고 있었는데, 아마 학원을 갔다 돌아오는 길이었을 거야. 빨리 집에 가고 싶은 마음뿐이었지. 그때 우리 집은 학교 후문 쪽 주택 단지에 있었어서, 학교를 통하면 집에 가는 길이 몇 분은 단축될 것 같더라고. 바로 학교로 들어갔지. 늦은 시간이라 조용한 데다 가로등 없이 깜깜해서 매일 오는 곳이었는데도 겁이 나더라. 조금이라도 빠르게 지나가려고 학교 운동장을 가로질렀어. 모래로 뒤덮인 운동장은 질퍽거렸고 걸을 때마다 차갑게 뭉친 모래가 종아리로 튀었어. 운동장을 벗어나자마자 콘크리트 바닥에 신발 밑창을 문질렀어. 고개를 들고 주변을 둘러보는데, 비 때문인지 주변이 어두워서인지 도통 후문을 못 찾겠는 거야. 그때, 빗소리 사이로 굵은 물줄기가 깊은 바닥으로 떨어지는 소리가 들렸어. 순간 몇 년 전 가족들과 함께 놀러 갔던 계곡이 떠오르더라. 계곡물은 상류의 긴 절벽을 타고 내

눈앞으로 곧장 쏟아져 내려왔어. 물이 무너지고 부서지는 소리를 들은 건 그때가 처음이었어.

꽤나 가까이에서 들리던 소리는 그때의 폭포 소리를 연상시켰어. 하지만 비가 그 정도로 쏟아지지는 않아서 소리가 나는 곳을 찾으려고 주변을 살폈어. 폭포 비슷한 것도 보이지 않더라. 조금 더 귀를 기울여 보니, 소리는 바닥에서부터 올라오고 있었어. 눈높이를 낮추자 빗줄기가 바닥에 부딪히며 한 방향으로 뻗어 나가는 모습을 발견했어. 어둠 속에서 더듬더듬 물길을 찾아 따라가자 덮개가 젖힌 하수구가 보였고, 그 안으로 거품을 이루며 쏟아지는 물줄기가 눈에 들어왔어. 폭포 소리의 정체는 후문 근처 하수구로 모여 떨어지는 물소리였던 거야. 빗물 양에 비해 지나치게 큰 소리라는 생각이 스쳤지만 빗소리에 귀가 예민해진 탓으로 여겼어. 나는 그 자리에 멈춰 서서 한동안 하수구로 빨려 들어가는 물줄기를 지켜봤어. 끊임없이 흘러 떨어지는 물을 보다 보니 집에 가야겠다는 생각도 들지 않았어. 그러다 그 물줄기 가까이에서 희미한 무언가가 눈에 띄었어. 하얗고 작은 물체가 조금씩 움직이고 있는 거야. 나는 곧 그 물체가 하수구 구멍 사이로 튀어나온 손이라는 사실을 알아챘어.

그건 어린아이의 손이었어.

순간 방법은 몰랐지만 구해야 한다고 판단했어. 하지만 나는 하수구 앞으로 다가갈 수 없었어. 밖으로 올라온 손은 양옆으로 천천히 움직였는데, 이상하게도 살려 달라는 사람의 손 같지가 않은 거야. 하수구에서 뻗어 나왔다는 상황을 제외한다면, 나를 향해 가볍게 손 인사를 한다고 여길 정도였어. 머리가 이상해지는 기분이었어. 구해야겠다는 마음은 사라지고 그 자리에 공포와 두려움이 가득 차더라. 나도 모르게 발길을 돌려 집으로 뛰어갔어. 흙탕물에 바지가 젖고 신발이 벗겨지고 우산이 뒤집혀도 멈추지 않았어.

집에 도착하자마자 부모님에게 상황을 설명했어. 부모님은 내 말을 거의 이해하지 못했고, 나를 가까스로 진정시킨 뒤 학교로 향했어. 부모님이 학교 앞에 도착하자 비는 멈췄고, 하수구 위에는 평소와 마찬가지로 두꺼운 고무 덮개가 올라가 있었다고 해. 부모님은 내가 헛것을 보았다며 집으로 돌아오셨어. 나는 그때까지도 충격에서 벗어나지 못해서, 고무 덮개조차 올려 보지 않았다는 부모님에게 소리를 질렀어. 부모님은 내 뺨을 때렸어. 내가 조용해지자, 거기에는 아무것도 없었다고 하셨지. 나는 수긍했기 때문이 아니라, 한 대 더 맞을까 봐 입을 다물었어.

다음 날, 나는 반 친구들에게 간밤에 목격한 일을 설명했어. 아이들이 흘려들을까 싶어 내가 본 장면보다 과장해서 말하기도 했지. 그런데 이상한 일이 벌어졌어. 몇몇 친구들이 그 손의 주인을 찾자며 좀 더 많은 단서를 내놓으라고 나를 채근하는 거야. 손의 크기는 어땠는지, 얼마나 창백했는지, 다른 특징은 없었는지 묻기도 했어. 처음에는 친구들이 내 말을 믿지 않고 장난을 친다고 여겨, 대충 대답을 지어내며 맞장구를 쳤어. 말을 하다 보니 전날 잠들지 못하고 무서워했던 마음이 사그라들기도 했어. 그런데 친구들은 진심이었던 거야. 장난에 진심이었는지, 아니면 정말로 내 말을 믿었는지는 알 수 없지만 말이야.

유독 장난기가 많던 친구 하나가 게임을 제안했어. 아이들 손을 관찰해서 지난밤 하수구에 있던 범인을 잡자는 거야. 먼저 발견하는 사람이 이기는 거라고 했어. 무언가 잘못 돌아가는 느낌이었어. 무서워하기는커녕 즐거워하는 아이들의 모습이 어딘지 이상해 보였거든. 어떻게 학교 안에 그 아이가 있을 거라고 확신하는 거지? 아이들은 그 아이가 하수구에 살고 있을지도 모른다고 했어. 말도 안 되는 억측이었지만 그런 의견도, 게임도, 내 이야기에서 비롯되었으니 어쩔 수 없이 게임에 참여해야만 했어.

나는 곧 게임의 의미를 알아챘어.

이야기는 갑작스럽게 중단됐다. 반 아이들이 뒷이야기를 물어보자, 피디는 아무렇지도 않게 "이게 전부야."라고 말했다. 아이들은 완전하지 않은 이야기에 불만을 표했고, 피디는 아직 다음 편을 기다리는 중이라며 기대에 찬 얼굴로 말을 이었다.

"어딘지 알 것 같지 않아?"

우리 동네 출신이라면 그 하수구를 모를 리 없었다. 초등학교 시절, 후문의 하수구는 빗물받이의 간격이 넓어 평소에는 붉은색 고무 덮개로 가려 놓았다. 덮개가 놓이기 이전에는 그 틈새로 학생들의 발이 빠져 큰 사고로 이어질 뻔한 적이 몇 번이나 있었다고 했다. 덮개는 빗물받이가 교체되기 전까지 쓰일 임시방편이라고 했으나 교체 공사는 이루어지지 않았다. 동네 아이들은 심심할 때마다 하수구의 고무 덮개를 들어 올려, 먹고 남은 우유나 과자 봉지, 캔 음료를 던졌다. 도랑은 깊었고 항상 물이 차 있어서 던진 잡동사니가 바닥에 닿는 소리는 누구도 듣지 못했다. 그러다 어느 순간부터 하수구에서 참을 수 없는 악취가 올라왔다. 이후로는 아이들 사이에서도 벌칙이 아니고서야 그 붉은색 고무 덮개를 들춰 보는 일은 없었다. 나는 이 동네 출신이 아닌 피디가 어떻게 그 하수구에 대해 알고 있는지 궁금했다. 몇몇 아이들은 서로의 얼굴을 힐끔거리며 대답을 망설였다. 그때 한 아이가 나서서 말했다.

"그 반동에 있는 초등학교 말하는 거지?"

피디는 기쁜 얼굴로 고개를 끄덕였다. 나는 재밌어해야 할지 무서워해야 할지 알 수 없었는데, 그 두 가지 반응 모두 적절하게 느껴지지 않았다. 하수구에 사는 아이, 반동의 초등학교, 솟아오른 아이의 손, 그 모두를 모으면 이제는 아득해진 내 초등학교 시절의 이야기가 됐다. 나는 자연히 그 애를 떠올렸다. 엄밀히 말해 하수구의 손은 내가 하수구를 보며 했던 상상 중 하나였다. 절대로 사실일 리 없고, 사실인 적 없는 상상 속의 이미지였다. 하지만 이제 그 손은 내 머릿속이 아닌, 또 다른 사람의 이야기가 되어 나에게 전해지고 있었다. 피디의 손에 들린 핸드폰을 응시했다. 핸드폰 화면에 비친 사이트의 붉은색 레이아웃을 살폈다. 나는 피디가 그 이야기를 정말 커뮤니티에서 본 것인지 궁금했다. 기억 속의 얼굴들을 떠올렸다. 그 애가 사라지고, 2학기 때의 우리가 어땠는지에 대해 생각했다. 어느 순간부터 반 아이들은 그런 애가 애초에 존재하지도 않았다는 듯이 입을 다물었다.

"손이 아니라 우유 팩 같은 걸 잘못 본 게 아닐까?"

한 명이 그렇게 말하자 아이들 사이에서 여러 추측이 돌았다. 쌓인 낙엽이나 작은 동물의 사체도 예로 등장했다. 하지만 피디는 아이들의 의견에 만족하지 못하는 얼굴이었다. 대화의 주제는 자연스레 초등학교 때 들었던 괴담으로 바뀌었다. 밤이 되면 들고 있던 책의 책장을 넘기는 동상과 복도를 돌아다니는 인체 표본, 개수가 바뀌는 계단처럼 기괴하지만 누구에게도 해를 끼치지 않는 이야기들, 서로 비슷하고 특색 없는 괴담 말이다. 피디는 그런 이야기들이 시시하다는 듯 친구들 사이로 손을 휘저으며 말했다.

"난 여기 출신이 아니라 동네 소문은 잘 모르잖아. 혹시 초등학교 때 그런 얘기 들어 본 사람 없어?"

그러자 한 명이 말했다. 나와 마찬가지로 이 동네 토박이인 친구였다.

"들어 본 적 없어. 졸업생 중에 심심한 사람이 소설 하나 쓴 거겠지."

나는 친구의 단호한 말에 어쩐지 안심했다. 하수구와 관련된 소문이 아예 없었다고 한다면 거짓말이겠지만 피디가 말한 것과 '똑같은' 소문은 없었다. 그렇다고 숨겨야 할 커다란 사건이 있던 것도 아니었다. 그저 선뜻 말하기가 꺼려질 뿐이었다. 별것 없는 소문이라고 해도, 동네의 일이 같은 반 아이의 입에 흥밋거리로 오르내리는 게 내키지 않았다. 그건 같은 동네 출신의 다른 아이들도 마찬가지인 듯했다. 결국 친구의 말을 정정하는 아이는 없었다. 생각해 보면 하수구 위로 솟아오른 손 같은 건 침대 밑에서 뻗어 나온 손처럼 뻔한 상상인지도 모른다. 누가 하더라도 전혀 이상하지 않을 정도로 흔한 이야기인 것이다.

피디는 글 전체가 진짜일 리는 없더라도 그중에 하나 정도는 진짜일 수 있다고 했다. 이야기의 몇 가지 요소를 떠올렸다. 밤의 학교와 하수구, 물줄기, 손, 부모의 손찌검. 그중에서 그나마 현실적으로 보이는 건 부모의 반응 정도였다. 글에 나오는 장소가 이 지역의 초등학교라는 점 때문에 피디의 눈에 띄었겠지만, 그 사실을 제외하면 크게 흥미를 느낄 만한 글은 아니었다. 어쩌면 지역 어딘가에 비슷한 주변 환경을 가진 학교가 있을 수도 있고, 설사 같은 학교가 배경이라 하더라도 친구의 말처럼 졸업생이 만든 심심풀이 이야기일 수도 있다. 게다가 글은 아직 완결조차 되지 않았다. 슬슬 점심시간이 끝나 가고 있었다. 피디는 사실 재밌겠다고 생각한 부분은 하수구에 올라온 손이 아니라 뒷이야기라고 했다. 피디는 기대하는 얼굴로 말했다.

"글 마지막에서 말한 그 게임 말이야, 의미가 뭘까?"

*

학기 초에 그 애의 집과 우리 집이 가깝다는 걸 알게 되면서, 자연스레 함께 등교하는 날이 많아졌다. 우리는 학교로 가는 길에 오늘 내야 할 숙제나 전날 있었던 일에 대해 말했다. 별것 아닌 이야기가 대부분이었지만 그런 날들이 쌓이다 보면 서로의 사정을 어렴풋이 알게 되기 마련이었다. 나는 그 시간을 통해 그 애가 아빠와 할머니와 함께 산다는 것을 알았고, 그 애는 우리 부모님이 이혼 직전의 상황이라는 걸 알았다. 그건 반의 친한 친구들도 모르는 사연이었다. 그 애와 나는 등교하며 나누었던 이야기를 다른 아이들과 공유하지 않았다. 나는 그런 암묵적인 규칙이 우리를 더욱 친밀하게 만든다고 여겼다. 그러니까 학기 중반까지만 해도 우리는 친했다. 그 애가 은근히 따돌림을 당하면서부터는, 어쩌면 내가 그 애의 가장 친한 친구였을지 모른다.

따돌림에는 큰 이유가 없었다. 시작은 한두 명에 불과했는데, 몇 주가 지나자 반 아이들 모두 그 애를 얕봤다. 나는 아이들이 그 애를 무시하는 행동을 할 때마다 마음이 불편했으나, 한편으로는 내가 모르는 이유가 있으리라 여겼다. 그 아이의 어느 부분이 아이들에게 부족해 보였는지는 몰라도, 어쩌면 그 부족한 부분이 나에게도 있을지 모른다는 생각에 방어적으로 굴었던 것도 같다. 시간이 지나도 상황이 나아지지 않자 추측은 조금씩 확신으로 변했다. 나는 그 아이가 뭔가 잘못했다고 믿었다. 상대의 눈치를 살피는 태도가 습관이 되면서 아이는 자주 무시당했다. 나는 등굣길에서만큼은 그 아이와 함께했다. 한때 친했던 아이에 대한 동정심 때문이기도 했지만 더 큰 이유는 이제 와 따로 다니자고 말할 수 없었기 때문이었다.

그러다 소문이 났다. 하수구에 사는 아이. 그 말도 안 되는 소문이 돌자, 아이들은 그 애가 지나가면 코를 잡고 과장되게 얼굴을 찌푸렸으며 손가락질을 하고 웃음을 터트렸다. 언제부턴가 그 애에게는 어렴풋이 락스 냄새가 났다.

그 아이의 집에 간 적이 있었다. 반동의 좁은 골목 사이, 은색의 쪽문을 열고 들어가면 작은 마당이 있고 커다란 창이 난 단층집이 나왔다. 나는 그 붉은색의 오래된 벽돌집 앞에서 종종 그 애를 기다리곤 했다. 그러니까 나는 정말로, 아이들에게 입증해 줄 수도 있었다. 그 아이의 집은 하수구가 아니라고, 이제 이런 바보 같은 짓은 그만하자고 말이다. 동시에 두려웠다. 그걸 네가 어떻게 아느냐고 물어볼까 봐, 우리 사이를 들키고 같은 취급을 받게 될까 봐.

걔도 같은 하수구에 사나 보지.

나는 정말로 그런 말을 들을 거라고 믿었다. 생각해 보면 반에서 진지하게 그 소문을 믿었던 사람은 없었다. 아이들은 정말로 그 애가 하수구에 산다고 믿었기에 놀린 것이 아니었다. 아이들이 제 뒤에서 수군대더라도, 그 애가 화를 내고 소리를 지르며 담임이나 부모에게 말하지 못할 것을 알기에 놀렸다. 아이는 가족에게서 제대로 된 보살핌을 받지 못했고, 내성적이며 소심했다. 아이들은 그 사실을 그 애의 입이 아닌 옷차림과 학용품, 손이 많이 가는 미술 과제와 담임의 태도를 통해 유추해 냈다. 그때의 장난은 아이들이 서로에게 하는 경솔한 놀이 따위가 아니라, 의도적이고 악의적인 따돌림이었다.

*

그날 밤, 나는 글의 원본을 찾기 위해 피디가 이전에 언급했던 괴담 사이트를 돌아다녔다. 피디의 핸드폰에 비쳤던 사이트의 레이아웃을 기억해 대조했고, 페이지를 넘기며 우리 지역이나 학교와 관련된 이야기를 뒤졌다. 밤늦게 학교에 남은 교사와 화장실에 갇힌 아이, 매일 같은 시간에 들리는 비명, 복도를 뛰어다니는 발소리와 움직이는 그림, 따돌림과 복수, 죽음과 앙갚음……. 나는 페이지를 넘길 때마다 무섭다기보다 안심했다. 커뮤니티에서는 그 모든 이야기를 단순한 유흥거리로 여겼고, 진지하게 믿는 사람은 없었다. 그런데 피디가 말해 준 글은 찾을 수 없었다. 검색어를 바꾸고 지역의 범위를 넓히고 다른 카테고리를 뒤져 보아도, 그와 비슷한 글도 찾지 못했다.

피디가 말한 이야기를 되짚었다. 그건 우리 반에서 일어난 일과 달랐다. 비 오는 밤에 목격했다는 어린아이의 손도, 그 손을 찾는 게임도 없었다. 다만 누군가 그 애가 하수구에 들어가는 걸 봤다고 말한 기억이 있었다. 만약 작성자가 그때의 일을 얘기하려는 동시에 자신이 누구인지 알아보지 못하도록 이야기를 비틀었다 해도, 세부 사항이 지나치게 달랐다. 마치 많은 사람을 거치며 와전된 괴담과 원전의 간극처럼 말이다.

글의 뒷부분을 떠올렸다. 그 손을 본 뒤로 작성자가 겪었던 친구들의 행동이 어쩐지 석연치 않았다. 나는 작성자의 글과 과거 사이에서 어떤 불길한 공통점을 찾을 수 있었다. 아이들은 어떻게든 그 손을 찾아낼 것이다. 진짜인지 가짜인지는 중요하지 않았다. 재미는 찾아가는 과정에 있으며, 어떤 조건의 아이가 선택되는지가 중요할 뿐이었다. 나는 어쩐지 그 결말을 알 것 같았다. 내가 겪은 일과 작성자가 쓴 글은 분명 별개의 일이었으나 나는 어쩐지 그 두 가지 일이 연결되어 있다는 느낌을 지울 수 없었다.

피디에게 메시지가 온 건 자정 무렵이었다. 오늘 해 준 이야기의 다음 편이 올라왔다는 내용이었다. 메시지 아래에는 링크가 첨부되어 있었다. 이해되지 않았다. 나는 피디 앞에서 이번 이야기에 흥미를 보인 적이 없었다. 링크를 클릭해 게시 시간을 보니 겨우 몇 분 전에 올라온 것이었다. 피디도 나와 마찬가지로 글을 기다리고 있던 게 분명했다.

아이들은 범인을 만들고 싶어 했어. 지금 와서 생각해 보면 그건 범인이 아니라 희생자를 만들어 내는 일이었어. 게임에서 관찰해야 할 대상은 다른 아이들의 손이 아니라 아이들 자체였으니까. 성격이 드센지 소심한지, 이 게임을 재밌게 생각하며 함께 가담할지 아니면 속절없이 말려들지. 지금 와 생각해 보면 초등학생에 불과한 아이들이 어떻게 그 정도로 영악할 수 있었나 싶어.

친구들은 나 또한 게임에 참여하도록 종용했어. 도무지 기억나지 않는다고 했지만, 분명 그 손을 보면 알아챌 수 있을 거라고 했어. 나는 어쩔 수 없이 반 아이들을 둘러보았어. 명확한 기준 같은 게 있을 리 없었지. 친구들은 얌전하고 말수가 적은 아이부터 장난기 많은 아이까지 차례로 꼽았어. 지목된 아이들의 약점을 부풀리며 꼬집고 깎아내렸지.

저 중에 네가 본 손은 어떤 거야?

친구들이 재촉했어. 나는 어서 빨리 그 시간이 지나가기만을 바랐어.

잠시 읽기를 멈췄다. 가슴께에 무언가가 걸린 듯이 갑갑하고 불편했다. 창문을 열어 차가운 바람이 불어오길 기다렸지만 바깥에서는 미지근한 바람만이 들어왔다. 나는 피디에게 학교에서 읽어 준 원본 글을 보내 달라고 요청했다. 피디는 그 글은 이제 삭제되어 보이지 않는다고 했다. 지금 보내 준 글의 링크도 언제 삭제될지 모른다는 거였다. 나는 게시 글 작성자의 아이디를 클릭해 해당 아이디로 쓴 글을 검색했다. 피디가 보내 준 링크 이외에 글 하나가 더 있었는데, 내용은 짤막했다. 원글은 지웠으며, 이유는 누군가 댓글로 해당 초등학교를 언급했기 때문이라고 쓰여 있었다. 글에는 대여섯 개의 댓글이 달려 있었고 그중 하나는 작성자에 의해 삭제된 상태였다. 화면을 내리자 삭제된 댓글 아래로 또 다른 댓글이 달려 있었다.

— 다음 이야기를 들려줘. 그러면 학교 이름은 말하지 않을게.

그때 A를 지목했던 게 나였는지, 아니면 다른 누군가였는지는 기억나지 않아. 기억하지 못하는 건 회피하고 싶었기 때문이겠지. 나는 그렇게 해서라도 그 뒤에 벌어질 일을 책임지고 싶지 않았어.

결국 한 아이가 지목됐어. 왜소한 체격의 A라는 여자아이였어. 한 학기 내내 아이들은 A 뒤에서 수군거렸어. A는 어느새 하수구에 사는 아이가 됐고, 아이들은 더럽다며 아무도 가까이 가려고 하지 않았지. 우리가 시작한 장난은 어느새 우리 손으로 끝내지 못할 정도로 커져서 다른 반의 질 나쁜 아이들까지 조롱에 가담했어. 한번은 그 애들이 하교하던 A를 잡아다 하수구 안에 집어넣으려 한 적도 있었어. 덮개를 열고 A의 손발을 꼼꼼히 잡아 안으로, 안으로 밀어 넣은 거지. A의 얼굴이 빗물받이에 박혔고 등에는 발자국이 났어. 손과 무릎은 시멘트 바닥에 긁혔고 억지로 잡아 둔 사지에는 붉고 날카로운 상처가 생겼어. 하수구 구멍이 조금만 더 컸으면, A는 그 안으로 떨어졌을 거야. 그랬다면 A는 오수로 가득한 깊고 축축한 도랑에 빠져 크게 다쳤겠지. 결과적으로 나는 A가 그날 하수구에 빠진 것이나 다름없다고 생각해. 그날 이후 A의 변해 버린 눈빛을 보면 알 수 있었어. 결과는 실패했더라도 모욕을 주려 했던 마음만큼은 A에게 온전히 닿아 버린 거야.

나는 그날 하수구에서 본 손에 대해 다시 한번 생각할 수밖에 없었어. 그건 정말로 어린아이의 손이었을까. 빗물에 섞인 쓰레기 더미 같은 게 아니었을까. 나는 왜 그 이야기를 친구들에게 했던 걸까. 나는 왜 아이들에게 그런 게임은 그만하자고 말하지 않았을까. 왜 그 손이 작고 하얀 여자아이의 손 같다고 말했을까.

나는 왜 A에게 냄새가 난다고 말했을까.

A한테는 오히려 희미하게 락스 냄새가 났어. 나는 이유를 알 수 있었어. A는 아이들의 수군거림을 듣고, 자신에게 정말

로 냄새가 난다고 생각했던 거야. 나는 내가 무슨 짓을 했는지 그제야 깨달았어. 그러나 후회하기에는 이미 늦었던 거야.

어느 순간부터 A는 학교에 오지 않았어. 나는 뒤늦게 A의 집 근처를 서성였어. 시간이 지나도 A가 나타나지 않자 저절로 알게 됐지. A는 나와 마주하고 싶지 않은 거야. A에게 나는 다른 아이들과 다를 바 없어서, 내가 자신을 괴롭히기 위해 집 앞으로 왔다고 여기는 거지. 그러자 곧 초조해졌어. 내가 A에게 사과하러 왔다는 게 알려지면, 나는 반 아이들에게도 부모님에게도 외면당할 거라고 믿었거든. 아이들에게는 A의 집에 갔던 일 때문에, 부모님에게는 반 아이를 괴롭히는 일에 가담했기 때문에 말이야. 나는 그 자리에서 도망쳤고, 그 뒤로 A를 만나지 못했어.

한동안 A에게 빚을 진 사람처럼 마음이 답답했어. 하지만 방학이 시작되자 곧 A에 대해 잊었지. 언젠가 적당한 기회가 오면, 그때 말하자고 사과를 미룬 거야. 그러다 A에 대한 소문을 들었어. A가 죽었다는 거야. 갑작스러운 병이었다고도, 사고였다고도 하더라. 소문이 진짜였는지는 모르지만, 확인하고 싶지도 않았어. 감당할 수 없었으니까.

그 후로 A는 종종 내 꿈에 나왔어. 꿈에서 나는 어김없이 초등학생이고, 그날처럼 학교를 가로질러 후문을 통과

해. 비는 오지 않고 하수구에는 고무 덮개가 올라가 있어. 덮개가 안쪽에서 덜컥거려. 나는 두 손으로 덮개를 힘겹게 들어 올려서 옆으로 옮겨. 하수구 안을 들여다봐. 그 안에 A가 있어. A는 나를 보지 않고 등을 돌린 채 물이 찬 도랑에 반쯤 잠겨 있어. 그 안으로 A를 밀어 넣은 사람이 나라는 걸 직감적으로 알 수 있어. 아무리 애를 써도 빗물받이는 움직이지 않아. A를 그 안에서 꺼내 주지 못해. 나는 A에게 몇 번이고 사과해. A는 나를 용서해 주지 않아. 어떻게 용서할 수 있겠어. 자기를 차갑고 축축하고 더러운 하수구에 밀어뜨려 놓고, 꺼내 주지도 않는 사람을 말이야.

그때 내가 사과를 했다면 A의 운명이 바뀌었을 거라고, 함부로 믿지는 않아. 하지만 만약 용기를 냈다면, 적어도 지금까지 괴로워할 필요는 없지 않았을까, 궁리하기도 해. 나는 지금까지도 그날 밤, 하수구에서 본 광경을 기억해. 우스운 건 이제 내가 때때로 그날 본 게 A의 손이라고 믿는다는 거야.

핸드폰이 울렸다. 피디는 마지막까지 귀신도, 괴물도 등장하지 않은 이야기에 실망한 기색을 감추지 않았다. 답장을 보내려 했으나 무슨 말을 해야 할지 몰랐다. 분명 내가 아는 이야기와 닮아 있었지만 그 애는 죽지 않았다. 비슷하지만 다른 이야기였다. 그러니 나는 저 이야기에 아무런 책임이 없다. 하지만 A에게 났다는 락스 냄새만큼은 알 것 같았다. 나는 이제 작성자의 이야기를 반동의 학교가 아닌, 다른 곳에서 벌어진 일로 여길 수 없었다. 나는 학교에서 함께 피디의 이야기를 들었던 또 다른 친구에게 메시지를 보냈다.

—피디가 보낸 링크 봤어?

답장이 왔다.

—무슨 링크?

함께 이야기를 들었던 아이들의 얼굴을 떠올렸다. 겨우 반나절 전이었는데 그때의 내가 어떤 표정을 하고 있었는지 잘 기억나지 않았다. 내 얼굴이 다른 아이들의 얼굴과 무엇이 달랐는지도 모르겠다. 다른 아이들에게도 같은 질문으로 메시지를 보내려 했다. 하지만 그만두었다. 글에서의 사건이 정말로 반동의 초등학교에서 일어났다면, 내게는 확신이 필요했다. 이글이 내 이야기와 무관하다는 확신 말이다. 그 확신만 얻는다면, 피디가 나에게만 후일담을 보낸 이유 같은 건 상관없어질 것이다.

내일은 휴일이었다. 나는 피디에게 메시지를 보냈다.

—같이 하수구에 가 볼래?

*

다음 날 저녁, 우리는 반동의 초등학교 정문에서 만났다. 오랜만에 방문한 모교는 기억보다 작았고 조금은 낯설었다. 비가 온 다음 날이면 온종일 축축했던 모래 운동장은 어느새 인공 잔디로 뒤덮여 있었고, 주차장으로 쓰이던 공간에는 부설 유치원 건물이 들어서 있었다. 학교에는 아무도 없었다. 가로등이라고는 정문과 후문에 하나씩 있을 뿐이라, 빠르게 지고 있는 노을빛을 제외하면 운동장은 여전히 어두웠다. 우리는 운동장 옆 등나무 길을 따라 느리게 걸어갔다. 피디는 반동의 초등학교를 나온 아이들에게만 링크를 보냈다고 했다. 그리고 링크를 받은 아이 중 답장한 사람은 나뿐이라고 덧붙였다. 나도 모르게 웃음이 나왔다. 모두가 걸리지 않은 덫에 나만 걸린 셈이었다. 피디는 유명 관광지에 온 여행객처럼 기대감이 가득한 얼굴로 말했다.

“지역에서 일어난 일을 괴담 사이트에서 발견한 거잖아. 신기하지 않아?”

“이 학교에서 일어난 일인 건 어떻게 알았어?”

“나는 생각나는 곳이 없냐고 물었을 뿐인데?”

“전부 짐작이었다는 거야?”

"꼭 탐사 보도 같지 않아? 글이 진짜인지, 어디까지가 진실인지 궁금하기도 했고. 목격자도 나왔으니까."

피디는 대단한 흥밋거리를 찾은 사람처럼 눈을 빛내고 있었다.

"목격자가 아니라 방관자가 맞나?"

나는 피디의 말에 답하지 않고 걸었다. 피디는 작성자와 내가 같은 반이었다고 여기는 듯했다. 최악의 타이밍에 아는 척을 한 탓에, 이제 와 아니라고 해도 믿을 것 같지 않았다.

걸음을 멈췄다. 이제 곧 후문이었다. 어느새 해가 져 후문에 켜진 가로등 불빛을 제외하면 주위는 깜깜했다. 피디는 내가 멈추고 난 후에도 몇 걸음 더 앞으로 걸어갔고, 문득 뒤를 돌아 나를 찾았다. 나는 피디에게 말했다.

"분명히 말하지만 작성자가 겪은 일은 내 이야기와 달라."

"그럼 같은 부분은 뭔데?"

"하수구에 관련된 괴담이 학교에 돈 적이 있어."

"그러니까 너 때도 괴롭힘당한 아이가 있었다는 거지? 그래서 나한테 물어본 거고."

"그래, 다만 과정도 결과도 모두 달라. 내가 아는 그 애는

A처럼 죽지 않았어. 방학 때 전학을 갔으니까."

"같은 학교에서 비슷한 이유로, 비슷하게 괴롭힘을 당한 사건이 두 사람의 입을 통해 말해졌는데, 그 둘이 전혀 다른 사건이라는 거야? 한 사건이 두 사람의 입을 통해 다르게 말해졌다는 게 더 말이 되는 거 같은데."

나는 저도 모르게 소리쳤다.

"그 애는 그렇게까지 괴롭힘당하지 않았다니까!"

따돌림은 은근하게 진행됐다. 아이들은 그 애 뒤에서 외모와 옷차림에 대해 험담을 했고, 말을 걸면 듣지 못한 듯 외면하거나 자리를 피했다. 바로 앞에서 모욕을 주거나 폭력을 쓰는 사람은 없었었지만, 운동화나 교과서를 그 애 몰래 하수구 안에 던져 넣는 사람은 있었다. 아무도 그 애의 편에서 말해 주지 않았으므로, 그 애는 누가, 언제 그런 짓을 했는지도 몰랐다. 그러는 사이에도, 그 애와 나는 함께 등교했다. 서로의 집 앞에서 기다리기도 했고, 설사 길이 엇갈리더라도 학교 후문을 향해 난 대로변을 걸어가는 사이 상대를 발견하곤 했다. 우리는 여전히 그날 제출할 숙제나 전날 본 드라마 얘기를 했다. 그러다 보면 금세 학교에 도착했고, 목적지에 가까워질수록 그 애는 말이 없어졌다. 나는 따돌림에 가담하지 않았지만 학교에서 그 애에게 말을 걸지도 않았다. 그래도 괜찮다고 생각했다. 다음 날이면 우리는 다시 아무렇지도 않게 이야기를 나눌 거니까. 그때가 되면 그 애는 전날 학교에서의 나를 용서할 테고, 나는 등굣길에서 변함없이 내게 말을 거는 그 애를 보며 안심할 테니까. 그때의 나는 그저 답답하고 불편한 상황이 빨리 지나가기만을 바랐다.

피디가 표정을 굳힌 채 물었다.

"그걸 네가 어떻게 다 안다는 거야."

피디는 순간 말을 멈췄고, 나는 그 안에 생략된 말을 쉽게 찾아냈다. 주동자가 아니고서야 어떻게 다 알겠느냐는 말이었다. 나는 우리 반에서 있었던 일이니 알 만큼은 안다고 말했다. 그러나 말을 하면서도 알았다. 내가 아는 게 전부가 아닐 수도 있다. 나는 오히려 그 애가 괴롭힘을 당하는 장면을 외면하기 위해 노력했다. 보지 않고 귀를 막았다. 차라리 모르는 척 외면하는 게 그 애의 자존심을 지키는 행동이라 여겼다. 나는 그 애가 견딜 수 있을 거라고 함부로 믿었다.

한번은 하교 후에 그 애가 나를 찾아온 적이 있었다. 방학식이 있기 며칠 전이었다. 엄마가 내게 친구가 왔다고 했다. 밖으로 나가니 그 애가 있었다. 그 애가 말했다. 매번 같이 등교해 줘서 고마웠다고, 그런데 이제 같이 다녀 주지 않아도 된다고. 나는 왜,라고 묻는 대신 간단히 고개를 끄덕였다. 나는 그 애와의 대화를 즐거워했던 만큼 두려워하기도 했다. 이제 더는 다른 아이들이 볼까 봐 걱정하지 않아도 됐다.

그날 밤, 엄마는 한밤중에 잠든 나를 깨웠다. 그 애 할머니가 돌아가셨다고, 함께 장례식에 가야 한다고 했다. 나는 가지 않겠다고 했다. 엄마는 내가 아는 사람의 죽음이 두려워 그런다고 생각한 듯, 혼자서 장례식장에 갔다. 그러나 내가 두려워한 것은 할머니의 죽음이 아니었다. 혹시라도 장례식장에 갔다가 반 아이들이 우리 사이를 알게 될까 두려웠던 것뿐이었다. 그 뒤로 나는 그 애를 본 적이 없다. 곧 다른 지역으로 이사를 갔다는 소문이 돌았다.

피디는 이제 후문을 지나 주변을 살폈다. 피디의 뒤를 따라갔다. 초등학교에 다닐 때가 떠올랐다. 후문 근처에서 불량 식품을 팔던 아저씨, 마리당 오백 원에 팔리던 병아리, 며칠씩 방치해서 잔뜩 부풀어 오른 우유를 하수구에 집어 던지던 아이들을 기억했다. 피디에게 물었다.

"애초에 그 글을 너무 믿는 거 아냐? 작성자는 글을 삭제했어. 거짓말이라서 지웠겠지."

"진짜라서 지웠을 수도 있지. 이렇게 학교까지 찾아냈으니까, 신상이 밝혀질까 봐 두려웠을 수도 있어. 어쨌든 작성자는 피해자가 아니라 가해자였으니까."

피디는 마지막 문장을 강조했다. 나는 작성자의 이야기를 되짚었다. 피디가 학교에서 말해 주었던 내용부터 다시 곱씹어 보았다. 피디는 여전히 작성자의 글이 내가 아는 이야기와 같다고 여기는 듯했다. 하지만 이야기는 분명 어긋나 있다. 주변을 둘러보았다. 밤이 되자 학교의 새로운 부분들이 가려졌다. 마치 과거로 돌아온 듯 익숙한 기분에 잠겼다. 이렇게 어두운 밤에 학교에 온 적이 있었나. 그러자 조금 전까지만 해도 인식하지 못하던 사물이 눈에 들어왔다. 후문의 가로등이었다. 작성자는 첫 글에서 정문과 후문을 지나는 사이 가로등이 없어 무척 어두웠다고 했다.

"그래, 나 때도 저 가로등이 있었어. 작성자의 얘기가 진짜라고 해도, 그건 적어도 가로등이 생기기 전이야."

나는 확신에 찬 목소리로 답했다. 피디는 낮게 소리를 냈다. 그토록 원하던 진실이 밝혀진 셈이었지만 생각했던 결말은 아니었을 것이다. 나는 피디의 어두워진 얼굴을 보며 약간의 경멸을 느꼈다. 피디는 그런 내 마음을 알아채지 못한 채 머뭇거리며 말했다.

"그럼 피해자는 둘이었던 거네."

예상치 못한 말이었다. 작성자의 이야기에서 빠져나오기 위해 발버둥 치는 사이, 피디에게 또 다른 이야기를 만들어 준 셈이었다.

나는 침묵하는 대신 하수구가 있는 방향을 가리켰다. 내 손끝을 따라 시선을 옮기던 피디는 하수구를 발견했다. 이제 그 자리는 촘촘한 격자무늬의 보조 덮개가 덧씌워져 안으로 동전 하나도 빠지지 못할 것 같았다. 피디는 눈에 띄게 실망한 얼굴로 제자리에 움츠려 앉았다. 피디는 정말로 하수구 안에 무언가가 있을 거라고 믿었을까. 나는 그 앞에 마주 앉아, 피디가 그토록 바라던 내 이야기를 해 주기로 했다.

"후문에서 병아리를 팔던 아저씨가 있었거든. 어느 날에는 아저씨가 자리를 정리하고 떠났는데, 가로등 아래에 회수하지 못한 병아리 한 마리가 돌아다니더라고. 애들은 그 병아리를 나뭇가지로 건드리고 날 수 있게 해 준다며 높은 곳에서 떨어뜨렸어. 병아리는 약해서 금세 망가지더라. 날

개가 찢어지고 부리 한쪽이 떨어져 나가니까, 애들은 금세 흥미를 잃었어. 한 명이 하수구를 덮어 놓았던 붉은 덮개를 열었어. 다 죽어 가던 병아리가 잽싸게 하수구 구멍으로 도망쳤어. 그대로 죽을 거라고 생각했는데, 그 안에서 작게 병아리 소리가 들리는 거야. 다들 처음에는 재밌다는 듯이 웃다가, 시간이 지나도 울음소리가 그치지 않으니까 불안해했어. 어떤 애는 하수구 안으로 나뭇가지를 찔러 넣고, 또 어떤 애는 그 위로 제자리 뛰기를 했어. 그래도 삐악삐악 소리가 멈추질 않는 거야! 다른 한 명이 덮개를 들어 하수구 위를 덮어 버렸어. 그러니까 더는 아무런 소리도 들리지 않더라."

나를 보는 피디의 얼굴에서 어떤 두려움을 발견했다. 그러자 그저 호기심에, 우연히 발견한 글 때문에 작은 실험을 했을 뿐이라고 하던 피디의 말을 믿을 수 있을 것만 같았다. 아이들은 서슴없이 잔인한 짓을 하곤 하니까. 그건 작성자도, 피디도, 나 또한 마찬가지였다.

*

하수구를 바라보며 그 애와 함께 등교하던 때를 기억했

다. 별것 아닌 일들에 웃음을 터트리고 농담을 하던 사이, 나는 한 가지 중요한 사실을 깨달았다. 내가 그 애에 대해 알아 갈수록 그 애도 나에 대해 알아 간다는 것이다. 어느 순간부터 그 애가 불편해졌는지는 모르겠다. 다만 그 애가 다른 아이들과 가까이 지낼수록, 나는 어쩐지 불안하고 갑갑한 마음이 들었다. 그 애에게 한 말 때문이었다. 부모님의 사이가 좋지 않다고, 어제는 텔레비전이 부서졌고 아끼던 컵이 깨졌다고 했다. 그 뒤로 별 이유 없이 그 애는 따돌림의 대상이 됐고, 불안감은 점차 옅어졌다. 무력하게 당하는 그 애의 모습을 보며, 이제 그 애는 아무에게도 내 이야기를 할 수 없다고 생각했다. 그런데 그 애가 반에서 나에게 말을 걸어왔다. 쉬는 시간, 그 애는 쭈뼛거리며 내가 앉은 책상 앞으로 다가왔다. 어색하게 웃음을 띠고 내게 말을 걸었다.

"엄마랑은 잘 화해했어?"

나는 며칠 전 그 애에게 엄마와 다퉜다고 얘기했던 일을 기억했다. 아빠는 며칠째 집에 돌아오지 않고 엄마는 이유를 말해 주지 않는다. 엄마는 내가 아빠에 대해 아무것도 모른다고 한다. 나는 아빠는 몰라도 엄마는 잘 안다고 말한다. 엄마는 나나 아빠보다도, 엄마 자신이 더 소중한 사람이라고 말한다. 엄마는 울음을 터트리고 나는 이 모든 게 지긋지

긋하다고 생각한다. 이러니까 아빠가 엄마에게 질린 거라고 말하려 하지만, 결국 하지 않는다. 나는 내가 옳지 않다는 것을 안다. 나는 아빠보다 엄마를 더 사랑함에도 엄마에게만 상처를 주며, 반 아이들보다 그 애를 훨씬 더 좋아하면서도 오직 그 애만을 함부로 대한다. 엄마가 언제나 날 용서했던 것처럼, 그 애도 결국에는 나를 용서하리라 여긴다.

이제 나는 내 앞에 서 있는 그 애를 바라본다. 초조해하는 눈과 창백해진 얼굴을 본다. 그리고 순간 나를 바라보는 아이들의 시선을 느낀다. 주위는 여전히 소란했지만, 내 주변은 조금 전보다 조용하다. 순간 분노가 치미는데, 그 감정은 배신감에 가깝다. 나는 생각한다. 이 애가 먼저 우리 관계의 규칙을 깬 거라고. 어떻게 네가,라는 증오 혹은 오만에 가까운 감정이 얼핏 드러난다. 순간 주변에서 내 대답을 기다리고 있다는 걸 깨닫는다. 만약 학교 밖이었다면, 나는 그 애에게 평소처럼 대답했을 것이다. 아니면 침묵할 수도 있다. 입을 닫고, 책상에 머리를 박은 채 그 애를 외면할 수도 있다. 그러는 편이 나았다. 그러나 나는 그러지 않는다. 그러기는커녕 저주처럼 말을 내뱉는다. 정말로, 그 애를 아는 사람만이 낼 수 있는 상처를 낸다.

그 후로도 우리는 함께 등교했고, 오직 학교 밖에서만 아무렇지 않게 서로에게 말을 건넸다. 나는 다른 아이들처럼 그 아이가 지나갈 때면 고개를 돌렸다. 하지만 그 애가 반에서 시선을 피하는 사람은 나뿐이었다. 나는 그것이 그 애의 진심이라는 걸 안다. 그 애가 어떤 마음으로 나와 함께 등교했는지는 모른다. 영원히 짐작할 수도, 알 수도 없으리라 여긴다. 그저, 그때 그 애에게 가장 큰 상처를 남긴 사람은 뒤에서 하수구라고 놀리는 아이들이 아니라 나일 거라고 여길 뿐이다. 나는 그 애가 가장 절박할 때 내민 손을 밀어낸 사람이었다.

*

피디에게 말했다. 그때는 그게 장난이었다고. 지금은 진심으로, 그런 일은 일어나지 말았어야 한다고 생각하지만, 이미 일어나 버린 이상 어쩔 수 없다고. 나는 아직도 그 병아리의 울음소리를 기억하고 있으나, 그뿐이라고 했다. 피디는 믿어지지 않는다는 듯이 고개를 내저으며 말했다.

"정말 그렇게 생각해?"

고개를 들어 가로등을 바라봤다. 나는 그 병아리 이야기를 그 애에게 들었다. 거기에는 뒷이야기가 있다. 아이들이 모두 흩어진 뒤, 그 애는 하수구로 다가가 덮개를 열었다. 아주 멀리서 병아리 소리가 들렸다. 그 애는 심한 악취가 나는 하수구 안으로 손을 집어넣고 안쪽의 틈새 사이에 숨어 있을 병아리를 찾았다. 가로등이 비쳐야 할 시간이었지만 불빛은 한참을 깜박거리다 결국에는 꺼져 버리고 말았다. 병아리는 하수구 안에 숨어 나오지 않고, 그 애는 어둠 속에서 아주 오랫동안 그 안에 손을 넣고 있었다. 계속 병아리 소리가 들렸기 때문이다. 하지만 생각해 보면 그 소리도 어느 무렵에서는 환청이었던 것 같다고 했다. 그 이야기를 듣는 사이에, 내 귀에도 병아리의 울음소리가 들려오는 듯했다. 그 애가 말했다.

"나한테 그런 소문이 난 건, 그 일 때문이었을까?"

그때 나는 어떻게 답해야 했을까. 나는 어떤 대답을 했던가. 그 이야기를 들은 때가 언제인지 기억나지 않는다. 그저 그 말을 들었을 때 느꼈던 저릿한 마음만을 되짚어 볼 뿐이다.

답을 구하는 피디의 시선에서, 나와 작성자는 다르지 않은 사람이다. 나는 이제 두 이야기를 구분하는 일이 무의미하다는 것을 안다. 나는 그렇다고 답한다. 괴담은 그렇게 만들어진다.

다시 하수구를 보았다. 촘촘한 격자무늬 덮개를 바라보며 그 안에 사람이 산다고 억지로 믿던 시절을 떠올렸다. 바닥 아래 깊은 곳에서 작고 낮은 소리가 이명처럼 들려왔다. 내게서 아주 중요한 무언가가 빠져나간 것만 같았다. 어쩌면 그것은 오래전에 잃어버린 마음일지도 모른다. 한 번 잃은 마음은 두 번 다시 되찾을 수 없다는 것을, 지금의 나는 안다.

발문

너무너무 무섭고 너무너무 재미있는

김민령
아동·청소년문학 평론가

어느 날 공포가 내게로 왔다

그날 우리는 우리 중 누군가의 집에 모여 앉아 있었다. 아마도 너무 덥거나 비가 오거나 해서 얼음땡이나 오징어 놀이 같은 바깥 놀이를 하기 힘든 날이었을 것이다. 어른들도 없는 빈집에서 우리는 무릎을 맞대고 소곤소곤 이야기를 나누었다. 단연 화제는 홍콩 할매와 빨간 마스크를 쓴 여자 이야기였다. 아이들에게 혈액형을 묻거나 마스크 벗은 얼굴을 보여 준 다음 함정에 걸려든 아이를 순식간에 잡아간다는 이야기들. 우리는 홍콩 할매가 좋아하는 혈액형이 A형인지 O형인지 옥신각신하다가 홍콩 할매가 혈액형을 물어보면 대답하지 말아야 한다고 결론 내렸고, 여자가 마스크를 벗으려고 하면 눈을 꼭 감는 게 나을지, 얼른 도망치는 게 나을지 심각한 얼굴로 상의했다. 소름 돋은 팔을 연신 문지르면서도 우리의 이야기는 끝나지 않았다. 홍콩할매가 시들해지면 금세 새로운 이야기가 등장했다. 지난주에 우리 동네 버스 정류장에서 어떤 재수생이 쓰러진 채 발견되었는데 몸에 피가 한 방울도 없었대. 정말? 응, 나도 들었어. 나도, 나도, 나도.

옛날 옛적 아주 오래전 일이지만 그날의 공기와 오싹하던 느낌만은 여전히 생생하다. 너무너무 화장실에 가고 싶은데도 방문 밖으로 한 발짝도 나갈 수가 없을 만큼 무서웠다. 그런데 참 이상도 하지. 갑자기 낯설고 이상한 세계에 던져진 것처럼 두려웠는데도, 귀를 꼭 막고 더 이상 듣고 싶지 않았는데도 나는 친구들과 무서운 이야기를 주고받는 그 시간이 영원히 끝나지 않았으면 싶었다. 무섭고도 재미있었다. 무서운 이야기는 이상하게 짜릿해서 언제나 듣고 싶은 마음과 듣기 싫은 마음이 정확히 반반씩 들었다. 공포 영화를 볼 때 얼굴을 가린 채 손가락 사이로 빼꼼 눈을 뜨는 것도 비슷한 이유에서일 것이다.

공포는 우리를 매혹시킨다. 공포 문학의 대가인 스티븐 킹은 좋은 공포 이야기가 우리의 마음속 깊은 곳에 도사린 두려움들을 이해하도록 도와준다고 했다. 인류는 원래 어둠과 어둠 속에 꿈틀대고 있는 뭔지 모를 위험을 무서워하도록 생겨 먹었다. 겁도 없이 까불다가 사냥감이 되는 것보다는 무서워서 쩔쩔매는 편이 생존 확률을 높였을 테니까. 원시 시대로부터 그렇게 많이 진화하지 않은 우리는 여전히 알 수 없는 무언가를 두려워하면서 산다. 과학이 아무리 발달한들 세상은 여전히 너무 넓고, 알 수 없는 일들은 너무 많다. 하물며 어린이나 청소년들에게 세상은 이제 막 통과하기 시작한 캄캄한 숲속이다. 무섭지만 반드시 지나가야 한다. 그러니 사방을 주시하며 조심조심 앞으로 나아갈 것!

공포가 가장 잘 어울리는 장소, 학교

『스터디 위드 X』는 학교 안팎의 으스스한 이야기들을 한자리에 불러 모은다. 학교는 무척이나 한국적인 공포의 장소다. 할리우드 영화의 십 대들이 캠핑장이나 파티에서 신나게 놀다가 살인마에게 공격을 당한다면 우리 청소년들은 꼼짝없이 학교에 붙잡혀 있느라 살인마 같은 건 만날 틈도 없다. 그리하여 공포는 학교 안으로 스며든다. 1990년대 공포 영화 '여고 괴담' 시리즈가 보여 주었듯 전교 1등과 전교 2등의 경쟁과 질투, 정체를 알 수 없는 동급생, 찢겨 나간 졸업 앨범, 텅 빈 교실과 어두운 복도 등 학교는 무서운 이야기가 나올 만한 요건을 넘치도록 갖추고 있다. 성적 지상주의와 학업 스트레스, 억압과 통제라는 한국 학교 특유의 분위기까지 더하고 보면 '학교 괴담'은 피할 수 없는 결과처럼 느껴진다. 그러나 오늘날 학교는 더 이상 으스스한 공간이 아니다. 자율적이지 않은 야간 자율 학습도, 두발 규제와 복장 검사도, 학생부 미친 교사나 폭력적인 선도부 선배도 사라진 지 오래고, 몇 년째 학교를 다니는 유령 학생을 알아차리지 못할 만큼 정원이 많지도 않다. 방학 때마다 새로 단장한 건물들은 환하고 깨끗하다. 그렇다면 학교는 더 이상 괴담의 배경으로 유효하지 않은 것일까? 그렇지 않다, 당연하게도.

「영고 1830」을 보자. 이 작품은 지역 명문 고등학교인 영홍고등학교 1학년 8반 30번에게 매년 닥치는 불행에 대해 이야기한다. '1830'은 불운한 입학생 한 사람에게 붙여지는 번호다. 한 사람이 번호가 되는 순간, 개인의 특징은 지워져 버린다. 게다가 성적순으로 학생들을 줄 세우고 반 배정을 하는 영고에서 1830은 전교 꼴찌를 의미한다. 익명의 다수 중 가장 별 볼 일 없는 하나. '영고 1830'이 된 희준이

가 시름시름 앓으며 신경 쇠약에 빠지는 것은 진짜로 1830 번호에 내려진 저주 때문일까, 아니면 수치스러운 낙인 때문일까. 알 수 없다. 그리고 무슨 일이 벌어진 건지 분명하지 않아서 더 무섭다.

교실에서 만나는 공포와 슬픔

입에서 입으로 전해지는 이야기가 그러하듯 학교에서 전해 내려오는 무서운 이야기는 진위를 알 수 없고 그때그때 달라진다. 누군가는 흥밋거리로 소비하지만 누군가에게는 절실하다. 진실을 밝히고 들자면 도무지 꼬리가 잡히지 않고, 무시하자니 등 뒤가 오싹하다. 「하수구 아이」와 「그런 애」는 학교에서 전해 내려오는 무서운 소문에 대한 이야기를 다룬다. 학교 앞 하수구에 사는 아이가 있었다거나 학교 뒤편 깊은 구덩이에서 죽은 여자가 소원을 들어준다거나 하는 믿지 못할 이야기들. 대다수 아이들이 말도 안 된다고 웃어넘길 때 어떤 아이들은 솔깃해하거나 미심쩍어하고 돌연 공포에 사로잡힌다. 괴담에는 드러내 놓고 말하기 어려운 욕망이나 불안, 죄책감 같은 것들이 스며들어 있기 때문이다. 괴담을 귀담아듣는 일은 어릴 적 따돌림 받는 친구를 외면했던 기억이나 단짝 친구의 진짜 정체를 의심하는 나 자신을 똑바로 바라보는 일이기도 하다.

이렇게 괴담은 우리 마음속 깊은 곳에 미처 소화되지 못한 감정들을 불러낸다. 교사에게 인정받고 친구들에게 인기 높은 아이라 해도 학교가 늘 즐겁고 따스할 리 없다. 많은 아이들에게 학교란 모호하고 불안정한 공간일 때가 많다. 내성적이고 사회성이 미숙한 아이들, 전학생이나 신입생들에게는 더더욱 그렇다. 우리 모두는 새 학교 새 학년 새 교실로 들어서기 전 느꼈던 긴장과 불안을 기억하고 있다. 누구나 어떤 식으로든 학교에서 고통을 겪는다. 그래서 그런지 「벗어나고 싶어서」의 교사와 학생이 사후에도 학교에서 수업하는 장면은 끔찍하지만 한편으로는 서글프다. 학교는 첫사랑과 미처 말하지 못한 마음에 대해 후회와 미련이 남는 장소이기도 한 것이다. 사실상 학교에서 느끼는 공포와 슬픔은 분간하기가 어렵다.

저기, 저 너머에 있는 누군가

삐걱거리는 복도, 점점 가까워 오는 발걸음 소리, 피아노 위로 뚝뚝 떨어지는 핏방울……. 내가 어릴 때 즐겨 듣던 공포의 클리셰는 낡고 빛바랜 학교를 무대로 탄생한 것이었다. 오늘날 십 대들의 공포는 인터넷과 모바일 디바이스를 타고 비대면으로 이루어진다. 「스터디 위드 미」는 공부에 미친 전교 1등이 등장하는 전통적인 공포 서사를 이야기하되 스터디 브이로그라는 새로운 문화 현상을 활용한다. 오래전부터 전교 1등과 전교 2등 사이의 시샘과 살인, 원한 등을 둘러싼 이야기는 학교 괴담의 기본값이었다. 전교 1등은 죽어서도 학교에 남아 공부를 한다니, 얼마나 기괴한 상상력인지. 보통의 아이들은 공부를 너무 열심히 하거나 언제나 높은 성적을 유지하는 아이들을 그저 다른 차원에 있는 존재라고 성의 없이 결론을 내리고 그들을 '전교 1등'이라 부른다. '영고 1830'뿐 아니라 '전교 1등'과 '전교 2등'도 이름 없는 존재들인 셈이다. 꼬박 몇 시간씩 앉아서 공부를 하는 전교 1등은 선망의 대상이자 영원한 타자이다. 이해할 수 없어서 왠지 무서워지는 존재. 그리고 21세기 전교 1등은 교실 안에만 머무르지 않는다.

정체가 파악되지 않고 모호하다는 것은 공포의 첫 번째 조건이고, 그런 의미에서 모니터와 핸드폰 액정 너머에 존재하는 누군가는 발소리를 내며 다가오는 혼령보다 더 으스스한 대상일지도 모른다. 위험을 알려 주려는 친구 앞에서 낄낄낄 웃음을 터뜨리며 조작 방송 사실을 털어놓는 아이와 유튜브 화면 속 어린이 귀신 중 더 공포스러운 대상은 누구일까? 「카톡 감옥」에서 학급 채팅방에 몰래 숨어든 존재는 누구인가? 정의를 구현하는 화이트 해커인가? 사람이긴 한가? 「하수구 아이」에서 인터넷에 괴담을 올리는 사람의 정체도, 「그런 애」에서 트위터 부계정을 둘러싼 지저분한 소문도 모호하기만 하다. 이야기의 전모를 파악하기 어렵다는 점에서 무서운 이야기는 다른 사람의 속마음과 비슷하다. 대화를 나누고 표정과 몸짓을 읽으려고 해 봐야 우리는 타인의 마음속을 완벽히 이해할 수 없을 것이다. 그럼에도 불구하고 우리는 끊임없이 타인에게 손을 내밀고 미소를 지어야 한다. 사람은 혼자 살 수 없으니까, 혼자라면 더 무서울 테니까. 온전한 성장과 자립이 두려움과 불안을 딛고 이루어질 수 있다는 점에서 청소년 호러가 갖는 의미는 분명해진다.

공포와 불안이 찾아오면

『스터디 위드 X』는 호러 장르를 명백히 표방하면서도 '학교'를 둘러싼 청소년 문제도 시의적절하게 다룬다. 인터넷에 자신의 신체를 전시하거나 저체중인데도 극단적인 다이어트를 감행하는 소녀들의 위험한 욕망은 그들 자신으로부터 비롯된 것일까? 학교 폭력의 방관자에게는 어느 정도의 책임을 물을 수 있을까? 학교 폭력 가해자에 대한 사적 복수는 정당한가? 사이버불링은 과연 나쁜 아이들 때문일까? 학교와 또래 집단 내에서 익명성은 얼마만큼 필요하며 어떻게 작동하는가? 어른과 사회는 아이들의 공포와 불안에 어떤 역할을 하였는가? 괴담 속 무서운 존재만큼이나 뚝 떨어지는 대답이 어려운 질문들이다. 계속 곱씹고 흔적을 놓치지 말아야 한다는 점에서도 그렇다.

그래도 다행스러운 것은 『스터디 위드 X』가 가장 끔찍한 비극을 다룰 때조차 비관적인 전망으로 치닫지 않는다는 점이다. 주인공의 끝도 없는 하강과 추락을 이야기한 「영고 1830」은 학력주의의 비정함을 까발림으로써 이야기를 읽는 독자들을 향해 비명을 지른다. 희준이의 공포와 신경쇠약은 학교 당국이 학생들을 성적순으로 줄 세우지 말고 1학년 8반 30번을 결번으로 두면 단번에 해결될 일이었다. 자기만 아니면 된다고 여기는 학생들과 헛소문 취급하는 교사들은 모두 공범이다. 독자들은 주인공과 함께 불안에 시달리고 공포에 쫓기다가 급기야 분노하게 될 것이다. 주인공에게는 더 이상 기회가 없겠지만 현실의 우리에게는 있다! 호러 장르는 우리에게 잠재된 공포와 불안을 자극하는 동시에 우리가 여전히 안전하고 밝은 지대에 머물러 있다는 점을 안도하게 만든다. 또한 공포가 우리를 엄습하지 않도록 현실을 잘 관리해야겠다고 마음먹게 한다.

『스터디 위드 X』는 청소년들이 주인공인 만큼 공포 옆에 우정과 연민, 공감을 나란히 배치하는 것도 잊지 않는다. 「그런 애」에서 괴담의 장소에 불을 붙이거나 「하수구 아이」에서 졸업한 학교를 찾아갈 때, 「벗어나고 싶어서」의 교사가 학생에게 가족을 찾아갈 것을 권하거나 「스터디 위드 미」에서 전교 1등에게 위험을 경고할 때, 우리는 잠깐 안도의 순간을 맞이할 것이다. 공포와 불안은 지극히 사적인 감정이라 대개 혼자 견뎌 내야 한다. 하지만 그만큼 옆 사람의 온기를 바라고 기꺼이 손을 내밀게 만든다. 옛이야기에서 숲속을 통과하는 주인공에게는 언제나 누군가 나타나 도움을 준다.

학교 괴담이 존재하는 이유

학교는 무서운 장소일까? 매우 높은 확률로 그럴 것이다. 수없이 많은 사람들이 거쳐 가고, 수없이 많은 일들이 벌어지고, 수없이 많은 생각과 감정들이 생겨나고 얽히고 스러져 간 곳. 눈에 보이지 않는 어떤 힘들을 믿는 사람이라면 학교에 쌓여 있는 슬픔과 원한, 눈물의 양을 지레짐작하고 몸서리칠지도 모른다. 새로운 학교에 입학하고 새로운 교실에 들어가 새 친구와 선생님들을 만나고 꽉 짜 놓은 시간표에 맞춰 생활한다는 건 결코 쉬운 일이 아니다. 게다가 한국 학생들의 학업 스트레스는 세계 최고다. 모든 이야기는 현실을 반영하고 재현하되 변화시키려는 의도를 포함한다. 호러 장르도 예외는 아니다.

학교는 절대 다수의 아이들이 오랜 시간 머무는 곳이고 공부하고 배우고 자라는 곳이다. 어두운 숲속을 통과하는 일은 고통스럽고 무섭고 때로는 슬프겠지만 어떤 식으로든 나아갈 수밖에 없다. 어리둥절하고 막막하고 어찌할 바를 모를 때 어쩌면 호러가 답일 수 있다. 그 안에는 나처럼 공포에 벌벌 떠는 주인공이 있을 테니까. 주인공과 함께 어두운 숲을 헤매는 동안 뜻밖의 장소에서 길을 찾게 될지도 모르니까. 그러니 답답하고 눈물이 날 때 호러를 읽자. 책장을 넘기다가 문득 고개를 들면 교실 창으로 쏟아져 들어오는 햇살이 좀 더 환하고 따뜻하게 느껴질 것이다. 얼마간 안심하고 있는 그대로의 나를 응원하게 될지도. 청소년에게 학교 괴담이 필요한 이유다.

이제 와서 솔직히 말하자면, 나는 어렸을 때도 홍콩 할매나 빨간 마스크를 쓴 여자를 믿은 적이 없다. 학교 옥상에서 전교 1등을 밀어서 떨어뜨리는 전교 2등 같은 이야기도 진짜일 리 없었다. 그랬다면 저녁 뉴스나 신문에서 엄청 떠들어 댔겠지. 그렇다고 무서운 이야기를 듣고 가짜로 무서워했느냐 하면 그건 아니다. 내가 느낀 공포는 백 퍼센트 진짜였다. 믿지도 않으면서 진심으로 공포를 느끼며 벌벌 떨었다. 그런데 친구들하고 모여 앉아 한참 무서운 이야기를 하다 보면 마지막에 꼭 이렇게 말하는 아이가 있다. "있지, 얘들아, 이렇게 귀신 이야기를 하고 있으면 귀신이 옆에 와서 듣는대." 으악! 잔뜩 겁에 질린 우리는 한꺼번에 꽥 소리를 지르며 호들갑을 떨다가 마침내 깔깔깔 웃음을 터뜨리곤 했다. 아아, 너무너무 무서웠고 너무너무 재미있었다. 어쨌거나 다 함께 웃음을 터뜨리는 그 순간이야말로 무서운 이야기의 클라이맥스였고, 그래서 내가 무서운 이야기를 좋아했구나, 이제야 고개를 끄덕이고 있다.

스터디 위드 X

초판 1쇄 발행 2023년 7월 3일
초판 2쇄 발행 2024년 5월 16일

지은이 • 권여름 나푸름 윤치규 은모든 이유리 조진주
펴낸이 • 강일우
편집 • 한아름
조판 • 이주니
펴낸곳 • (주)창비교육
등록 • 2014년 6월 20일 제2014-000183호
주소 • 04004 서울특별시 마포구 월드컵로12길 7
전화 • 1833-7247
팩스 • 영업 070-4838-4938 | 편집 02-6949-0953
홈페이지 • www.changbiedu.com
전자우편 • contents@changbi.com

ISBN 979-11-6570-219-9 43810

창비교육 성장소설 시리즈는 '성장'을 고리로
소통과 공감을 이끌어 내는 이야기를 담아냅니다.